GARDEN LIBRARY
PLANTING FIELDS ARBORETUM

Gymnocalycium mihanovichii 'Hibotan'

D1213321

Opuntia microdasys var. *albispina*

Peter Chapman
Margaret Martin

Kakteen und andere Sukkulenten von A bis Z

Haltung – Pflege – Vermehrung
150 Arten in Farbe

Kosmos
Gesellschaft der Naturfreunde
Franckh'sche Verlagshandlung
Stuttgart

Zu diesem Buch

Verfasser: Peter Chapman, Margaret Martin
Herausgeber: Geoffrey Rogers
Designer: Barry Savage, Roger Hyde

Bildnachweis: (O = oben, U = unten, L = links, R = rechts)

Peter Chapman und Margaret Martin: 8 (U), 9, 11 (O), 12 (U), 14 (M), 15, 16 (O), 33, 34 (U), 37, 38, 39 (O), 40 (O), 41 (MR, U), 42 (O), 44, 45 (O), 46 (RO, RU), 47 (U), 48 (O), 65 (O), 66 (O), 67 (U), 68 (LU), 69, 70 (O), 71 (O), 75 (RU), 76 (O), 79 (O), 80, 98 (O), 99 (U), 100–101 (O), 104, 105, 106 (RO), 106–107 (U), 108 (LO), 129, 130, 131 (RU), 132 (O), 133 (U), 134, 138 (O), 140, 142 (LU)

Eric Crichton: 48 (RU), 73

Jan van Dommelen: 42 (U), 77 (O), 136

Louise Lippold: 41 (O)

Frans Noltee: 8 (RO), 10 (LU), 12 (LO), 13 (U), 14 (LO), 16 (RU), 35 (U), 39 (U), 46 (M), 67 (O), 68 (RU), 71 (U), 72 (LU), 74, 76 (U), 78, 97, 101 (LU), 103 (U), 111 (RU), 131 (RO), 135 (U)

Gordon Rowley: 10 (O), 11 (U), 13 (O), 36, 47 (O), 66 (U), 79 (U), 100 (U), 109, 139 (LO), 141 (RO), 142 (LO), 143

Daan Smit: 14 (U), 34 (O), 65 (U), 99 (O), 107 (O), 110 (LU), 137 (RO)

B. J. van der Laans: 35 (LO), 137 (U)

Michael Warren: 40 (U), 43 (LU), 70 (RU), 72 (LO), 102, 103 (O), 112, 133 (O), 138–139 (U), 144

Zeichnungen: Maureen Holt, Tyler/Camoccio

© Salamander Books Ltd.

CIP-Kurztitelaufnahme der Deutschen Bibliothek

Chapman, Peter:
Kakteen und andere Sukkulenten von A bis Z : Haltung – Pflege – Vermehrung / Peter Chapman ; Margaret Martin. [Hrsg.: Geoffrey Rogers. Zeichn.: Maureen Holt . . . Aus d. Engl. übers. von Helmut Demuth]. – Stuttgart : Franckh, 1984.
(Kosmos-Florarium in Farbe)
Einheitssacht.: An illustrated guide to cacti and succulents <dt.>
ISBN 3-440-05288-5
NE: Martin, Margaret:

Aus dem Englischen übersetzt von Dr. Helmut Demuth
Titel der Originalausgabe »An Illustrated Guide to Cacti and Succulents«. Ein Salamander-Buch; die englischsprachige Ausgabe ist zuerst bei Salamander Books Ltd., Salamander House, 27 Old Gloucester Street, London, Großbritannien unter ISBN 0 86101 161 9 erschienen.
© 1982 Salamander Books Ltd., London
136 Farbfotos von Peter Chapman, Eric Crichton, Jan van Dommelen, Louise Lippold, Margaret Martin, Frans Noltee, Gordon Rowley, Daan Smit, B. J. van der Lans, Michael Warren.
156 Zeichnungen von Maureen Holt und
156 Umrißzeichnungen von Tyler/ Camoccio
Umschlaggestaltung Edgar Dambacher unter Verwendung einer Aufnahme von Burkard Kahl
Das Bild zeigt einen Phyllokaktus (im Hintergrund *Euphorbia canariensis*).

Franckh'sche Verlagshandlung, W. Keller & Co., Stuttgart / 1984
Alle Rechte an der deutschsprachigen Ausgabe, insbesondere das Recht der Vervielfältigung und Verbreitung, vorbehalten. Kein Teil des Werkes darf in irgendeiner Form (durch Fotokopie, Mikrofilm oder ein anderes Verfahren) ohne schriftliche Genehmigung des Verlages reproduziert oder unter Verwendung elektronischer Systeme verarbeitet, vervielfältigt oder verbreitet werden.

Für die deutschsprachige Ausgabe:
© 1984, Franckh'sche Verlagshandlung, W. Keller & Co., Stuttgart
Printed in Belgium / Imprimé en Belgique / LH 14 os /
ISBN 3-440-05288-5
Reproduktionen: Bantam Litho Ltd., Großbritannien
Satz: Fotosatz Stephan, Stuttgart
Herstellung: Henri Proost & Cie. pvba., Turnhout/Belgien

Acanthocalycium violaceum

A

bis

Z

Weingartia lanata

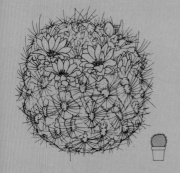

A	17 – 26
B	27
C	28 – 51
D	52
E	53 – 83
F	83 – 86
G	87 – 92
H	92 – 95
K	95 – 96
L	113 – 116
M	117 – 119
N	120 – 123
O	124 – 127
P	128 – 147
R	147 – 150
S	150 – 155
T	156 – 157
W	158

Einleitung

Kakteen und andere Sukkulenten

Sukkulenten sind Pflanzen trockener Gebiete, die in besonderen Geweben Wasser speichern können. Die mit solchen Wassergeweben ausgestatteten Pflanzenteile sind meist fleischig und saftig. Man unterscheidet je nach Lage dieser Wasserspeicher zwischen Wurzelsukkulenten, Blattsukkulenten und Stammsukkulenten.

Obwohl es allgemein üblich ist, von »Kakteen und Sukkulenten« zu sprechen, sind alle Kakteen – mit alleiniger Ausnahme der Gattung *Pereskia* – Sukkulenten, jedoch nicht alle Sukkulenten Kakteen. Alle Kakteen gehören der Familie der Cactaceae an und sind fast ausschließlich stammsukkulent. Das wichtigste Erkennungsmerkmal eines Kaktus sind die Areolen, kleine, nadelkissenartige Gebilde, aus denen neue Sprosse und Blüten hervorgehen und die mit einem dichten Haarfilz ausgekleidet sind und meist zahlreiche Dornen tragen. Diese Areolen sind in großer Zahl über den ganzen Stamm verteilt. Die Blätter der Kakteen sind meist rückgebildet oder zu Dornen (Stacheln) umgewandelt. Die Sprosse sind meist gerippt oder mit Warzen oder Höckern bedeckt. Die Blüten sind meist leuchtend gefärbt, groß und strahlig aufgebaut. Man unterscheidet zwischen Wüsten- und Urwaldkakteen. Urwaldkakteen leben zumeist als Epiphyten (Pflanzen, die nicht im Boden wurzeln, sondern auf anderen Pflanzen leben, ohne diesen jedoch Nährstoffe zu entziehen) auf Bäumen im tropischen Regenwald – oft zusammen mit Orchideen. Vertreter dieser Gruppe sind z. B. der Weihnachtskaktus und seine Verwandten. Die Kakteen stammen aus Amerika; die Arten, die man in anderen Erdteilen findet, sind sicher irgendwann einmal dort eingeführt worden.

Benennung

Nur wenige der aufgeführten Sukkulenten haben allgemeingültige deutsche Namen, und auch die wissenschaftlichen Namen werden nicht selten – entsprechend der gerade herrschenden Ansicht – geändert. In diesem Buch werden die gebräuchlichsten Namen verwendet, ggf. wird unter »Bemerkung« auf Synonyme hingewiesen.

Haltung

Über die Haltung und Pflege von Kakteen und anderen Sukkulenten gibt es eine Unmenge spezieller Literatur, die sich in einigen Pflegeanweisungen jedoch stark unterscheiden, was bedeutet, daß man bei den Sukkulenten bis jetzt noch keine eindeutigen Pflegehinweise geben kann. Grundsätzlich kann gelten: Das Substrat muß gut durchlässig sein. Der Laie verwendet am besten die käufliche Kakteenerde. Ob man ein hohes oder flaches Pflanzgefäß verwendet, hängt ganz von der Beschaffenheit der jeweiligen Pflanzenwurzel ab: Tiefwurzelnde Arten benötigen hohe Gefäße, flachwurzelnde Arten können gut in Schalen gehalten werden. Jede Pflanze hat eine Wachstums- und eine Ruhephase, die man nach Möglichkeit einhalten sollte. Bei den Sukkulenten lassen sich diese beiden Phasen recht gut vom natürlichen

Standort herleiten. Die Pflanzen besitzen meist eine kühle, trockene und helle Ruhephase und eine warme und feuchte Wachstumsphase. Um Kakteen zum Blühen zu bringen, muß man in den meisten Fällen eine trockene, kalte Winterruhe einhalten, dabei sollten die Temperaturen jedoch nicht unter 5° C fallen. Für die meisten Sukkulenten ist ein heller Standort unerläßlich, volle Sonneneinstrahlung an heißen Sommertagen hinter Glas kann jedoch zu schweren Verbrennungen an den Pflanzen führen. Wir sollten also darauf achten, daß die Pflanzen im Sommer zwar sonnig stehen, aber vor praller Sonneneinstrahlung und stehender Luft geschützt werden.

Eine magische Formel für das Bewässern und Düngen von Sukkulenten gibt es leider nicht, meist aber zeigt die Pflanze selbst an, ob sie Wasser benötigt oder nicht. Die meisten Sukkulenten wachsen im Frühjahr und Sommer, benötigen zu dieser Zeit also das meiste Wasser und alle 14 Tage etwas Kakteen- oder Tomatendünger. In der kälteren Jahreszeit muß man die Wassergaben auf ein Minimum einschränken und nur gerade so viel gießen, daß die Pflanzen nicht zusammenschrumpfen. Kühle Temperaturen und zuviel Feuchtigkeit sind der Tod jeder Sukkulente. Der Pflanzenfreund, der seine Pflanzen regelmäßig begutachtet und betreut, wird bald wissen, was und wann seine Pflanze etwas benötigt.

Vermehrung

Kakteen und andere Sukkulenten können je nach Art aus Samen gezogen oder durch Stecklinge vermehrt werden. Samen erhält man in Pflanzenfachgeschäften. Wichtig zur Aufzucht von Sämlingen sind Licht, Wärme und genügend – jedoch nicht zuviel – Feuchtigkeit. Zum Auskeimen benötigt man eine Mindesttemperatur von 18° C, maximal 24° C. Bei der Stecklingsvermehrung muß man die Stecklinge erst einige Tage antrocknen lassen, ehe man sie ins Pflanzensubstrat setzt, da sie sonst sehr leicht faulen würden. Die Stecklingsvermehrung muß innerhalb der Wachstumsperiode vorgenommen werden (spätes Frühjahr oder Sommer). Damit sich die Stecklinge schneller bewurzeln, kann man sie in Wachstumshormon tauchen. Den Steckling nicht zu tief ins Substrat stecken und am besten mit einem dünnen Stab oder einem Kieselstein fixieren.

Schädlinge

Die häufigsten und größten tierischen Schädlinge der Sukkulenten sind die Wurzel- und Wolläuse, die zu den Schildläusen gehören. Wolläuse besitzen keinen festen Schild, sondern sind von weißen, watteähnlichen Ausscheidungen umgeben, durch die sie leicht kenntlich sind. Bei älteren Sukkulenten treten häufiger Wurzelläuse auf, die, da sie im Boden leben, meist erst erkannt werden, wenn es schon zu spät ist. Zur Bekämpfung dieser Schildläuse verwendet man am besten ein malathionhaltiges Bekämpfungsmittel, mit dem man die Erde durchnäßt oder die Pflanze vorsichtig besprüht.

Bei zu feuchter und zu kühler Haltung treten leider recht oft Fäulniserscheinungen auf. Hier hilft nur ein großzügiges Ausschneiden der befallenen Stellen.

Rechts: *Acanthocalycium violaceum,* ein äußerst reizvoller Kugelkaktus mit wunderschönen Stacheln und farbenprächtigen Blüten. Wird nicht zu groß. Siehe Seite 17.

Rechts außen: *Agave filifera,* eine Sukkulente, die riesengroß werden kann, jedoch sehr langsam wächst. Kleine Pflanzen sehen sehr apart aus. Die schmalen Blätter laufen in spitze Stacheln aus. Siehe Seite 18.

Rechts unten: *Agave parviflora,* eine verhältnismäßig kleine Agave, die leicht über Ableger vermehrt werden kann, die sich gewöhnlich am Grund der Pflanze bilden. Ebenso leicht aus Samen zu ziehen. Siehe Seite 18.

Unten: *Aeonium arboreum* var. *nigrum,* eine höchst ungewöhnliche Sukkulente mit fast schwarzen Blättern, die bei zu dunklem Standort jedoch vergrünen. Siehe Seite 17.

Oben: *Agave victoria-reginae,* eine langsam wachsende Pflanze. Sie bildet gewöhnlich keine Ableger, läßt sich aber leicht aus Samen ziehen. Die attraktiven Blätter tragen am Ende einen spitzen Stachel. Siehe Seite 19.

Links: *Aloe jacunda,* eine sehr attraktive, reich blühende Zwergsukkulente, die am Grunde bald Ableger bildet, im Pflanzgefäß also nach den Seiten reichlich Platz benötigt. Eine ideale Zimmerpflanze für ein nicht zu sonniges Fenster. Siehe Seite 20.

Rechts oben: Die bekannte Tigeraloe *(Aloe variegata)* eignet sich ideal für das Zimmer, da sie im Schatten gedeiht. Bei guter Pflege bildet sie langgestielte rosa Blütentrauben. Braucht sehr wenig Wasser. Siehe Seite 21.

Rechts: *Ancistrocactus scheeri,* ein langsam wachsender Kaktus mit sehr schönen Stacheln und Blüten. Neigt wegen der dicken, fleischigen Wurzeln zu Fäulnis, daher sehr vorsichtig gießen. Bildet gewöhnlich keine Ableger. Siehe Seite 22.

Links: Der beliebte Peitschen- oder Schlangenkaktus *(Aporocactus flagelliformis)* mit seinen langen, hängenden Trieben und bunten Blüten kann nur als Hängepflanze gehalten werden. Siehe Seite 23.

Rechts: *Ariocarpus fissuratus* sieht mehr wie ein Stein als wie ein Kaktus aus, kann aber eine wunderschöne Blüte hervorbringen. Wächst sehr langsam. Siehe Seite 24.

Rechts unten: *Astrophytum asterias*, ein aparter Kaktus, ganz ohne Stacheln, der höchst attraktive gelbe Blüten hervorbringt. Lohnt die besondere Mühe, die er erfordert. Siehe Seite 25.

Unten: *Aporocactus mallisonii,* eine Kaktushybride mit zahlreichen kriechenden Trieben und großen Blüten. Eine ideale Hängepflanze. Siehe Seite 23.

Links: *Astrophytum myriostigma*, ein pflegeleichtes *Astrophytum* ganz ohne Stacheln, mit silbrigen, haarigen Schuppen, das wie ein Stein aussieht. Siehe Seite 26.

Unten: Dieses stachelige *Astrophytum (Astrophytum ornatum)* ist eine interessante Bereicherung jeder Sammlung, obwohl es erst als ziemlich große Pflanze blüht. Siehe Seite 26.

Ganz unten: *Borzicactus aureispinus,* ein etwas eigenartiger Kaktus, der wegen der schönen langen Triebe mit ihren goldenen Stacheln einen besonders sorgfältig ausgewählten Platz haben sollte. Siehe Seite 27.

Links: *Carpobrotus edulis*, eine Sukkulente mit kriechenden Trieben und bunten Blüten. Sie kann in klimatisch begünstigten Gebieten der gemäßigten Zonen auch im Freien kultiviert werden, idealerweise in einem sonnigen Steingarten. Siehe Seite 29.

Unten: »Greisenhaupt« ist ein passender Name für den nahezu stachellosen Kaktus *Cephalocereus senilis* mit seinem wirren Schopf weißer Haare. Eine ideale Topfpflanze, die in freier Natur recht groß wird. Siehe Seite 29.

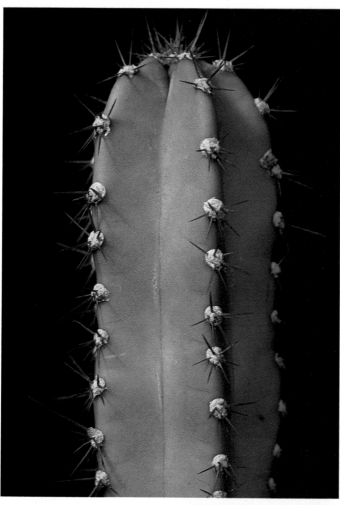

Oben: *Cereus peruvianus* kann in
seiner Heimat riesengroß werden,
bildet aber mit seinen reizvoll
bestachelten, schlanken Stämmen
einen idealen Kontrast zu den mehr
kugelförmigen Pflanzen einer
Sammlung. Dieser Kaktus wird mehr
wegen seiner Wuchsform gehalten als
wegen der Blüten, die nur von alten
Pflanzen hervorgebracht werden.
Siehe Seite 30.

Rechts: Blüte von *Ceropegia woodii*,
einer Sukkulente, die man am besten
hängend unterbringt; geht das nicht, so
benötigen die langen Triebe auf jeden
Fall eine Stütze. Siehe Seite 30.

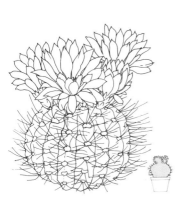 

Stachelkelch
Acanthocalycium violaceum
Kakteen (Cactaceae)

5–30° C
Pralle Sonne
Vorsichtig gießen

Heimat: Nordargentinien
Ca. 12 cm dicker Säulenkaktus, der im Sommer zahlreiche wunderschöne, ca. 5 cm große violette Blüten trägt. Er ist aber auch im Winter attraktiv, da die kräftigen gelben Stacheln sich gut vom dunkelgrünen Stamm abheben. ·
Haltung: In Kakteenerde pflanzen und an einem hellen Platz aufstellen. Auch während der Wachstumsperiode im Sommer vorsichtig gießen, möglichst an einem sonnigen Tag. Vor jeder Wassergabe Erde austrocknen lassen. Sobald sich Blütenknospen bilden, alle zwei Wochen mit Tomatendünger düngen. Sollte die Pflanze ihre Wurzeln verlieren, Stamm 2–3 Tage trocknen lassen und in frische, gut entwässernde Erde pflanzen.
Vermehrung: Bildet erst in höherem Alter Ableger.
(Bild Seite 8)

Äonium
Aeonium arboreum 'Nigrum'
('Zwartkop')
Dickblattgewächse
(Crassulaceae)

5–30° C
Pralle Sonne
Im Winter gelegentlich gießen

Heimat: Südwest- und Nordmarokko
Kräftige, attraktive Sukkulente. Die fast schwarzen, glänzenden Blätter bilden eine Rosette mit bis zu 20 cm Durchmesser, die auf einem ca. 1,5 cm dicken und bis zu ca. 30 cm langen Stamm steht. Stamm unten kahl, da die unteren Blätter abfallen, während sich oben neue bilden.
Haltung: Gute Zimmerpflanze. In Einheitserde pflanzen und sehr hell stellen, da sonst die Blätter ihre schöne dunkle Farbe verlieren und vergrünen. Verträgt niedrigere Temperaturen, benötigt sie aber nicht und gedeiht in einem normalen Wohnzimmer.
Vermehrung: Man schneidet die Rosette mit einem Stückchen Stamm daran ab, läßt sie ein paar Tage trocknen und steckt sie in frische Erde. Sie wurzelt rasch an, und es entsteht eine neue flache, gedrungene Pflanze. Der alte Stamm bildet viele kleine Rosetten, die man wiederum abnehmen und anwurzeln kann.
Schädlinge: Wolläuse sitzen gern zwischen den Blättern.
(Bild Seite 8)

✻ **A**

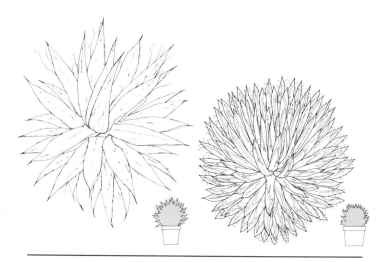

Fadentragende Agave
Agave filifera
Agavengewächse
(Agavaceae)

5–30° C
Pralle Sonne
Vorsichtig gießen

Heimat: Mexiko
Bildet eine Rosette mit 25 cm
Durchmesser; die 3 cm breiten,
ledrigen Blätter, die in einem kräftigen
Stachel enden, sind dunkelgrün und
am Rand mit weißen Fäden
geschmückt. Die Rosette hat eine
Lebensdauer von 8–25 Jahren.
Schließlich treibt sie einen 2,50 m
hohen Blütenstengel, der am Ende
violett-grüne Glöckchenblüten trägt.
Nach der Blüte stirbt die ursprüngliche
Rosette ab, am Grunde der Pflanze
bilden sich jedoch neue Rosetten.
Haltung: In Einheitserde pflanzen und
hell aufstellen. Bei sehr heißem Wetter
reichlich gießen, im Winter oder bei
bewölktem, feuchtem Wetter nur eben
feucht halten. Wegen ihrer zähen
Blätter sehr widerstandsfähig gegen
Lufttrockenheit. Pflanze im Sommer
am besten ins Freie stellen. Braucht
während der Wachstumsperiode
Sonne, damit sie Farbe und Form
behält. Ideal für Terrasse oder Balkon.
Bemerkung: Vorsicht vor den
kräftigen Stacheln.
(Bild Seite 9)

Agave
Agave parviflora
Agavengewächse
(Agavaceae)

5–30° C
Pralle Sonne
Nicht zu stark gießen

Heimat: Mexiko
Eine der kleinsten Agaven, ideal für ein
kleines Gewächshaus. Wegen ihrer
attraktiven Form eine schöne
Zimmerpflanze. Die ausgewachsene
Rosette mißt 18 cm im Durchmesser.
Die schmalen, dunkelgrünen Blätter
haben einen weißen Rand und weiße
Saumfäden. Blüht erst nach ca. 5
Jahren. Der Blütenstengel ist ca. 1 m
hoch und trägt blaßgelbe Blüten.
Haltung: In Einheitserde pflanzen.
Muß jedes Jahr umgetopft werden. Bei
heißem Wetter reichlich gießen, im
Winter und bei feuchtem, bewölktem
Himmel nur eben feucht halten. Wenn
es wärmer wird, im Freien in die pralle
Sonne stellen.
Vermehrung: Um die sterbende
Rosette bilden sich junge Pflänzchen,
die man abnimmt und einzeln
einpflanzt.
Schädlinge: Wegen ihrer zähen
Blätter werden Agaven selten von
Ungeziefer befallen.
(Bild Seite 9)

Agave
Agave victoria-reginae
Agavengewächse
(Agavaceae)

5–30° C
Pralle Sonne
Vorsichtig gießen

Heimat: Mexiko
Die schönste der kleinen Agaven,
bildet eine dichtbelaubte, halbkugelige
Rosette. Die 15 cm langen Blätter,
dunkelgrün mit weißer Zeichnung,
tragen am Ende einen spitzen Stachel.
Der 3–4 m hohe Blütenstengel trägt
rahmfarbene Blüten. Nach der Blüte
stirbt die Rosette ab. Leider bilden sich
keine Ableger, aber bis zur Blüte kann
es leicht 10 Jahre dauern.
Haltung: In Einheitserde pflanzen und
hell plazieren. Im Sommer ins Freie
stellen. Die Pflanze muß jedes Jahr
umgetopft werden. Darf bei heißem,
sonnigem Wetter reichlich gegossen
werden, ist aber zu anderen Zeiten
ziemlich trocken zu halten. Verträgt
sehr trockene Luft und kann im Winter
im Zimmer gehalten werden, braucht
aber während der Wachstumsperiode
im Sommer pralle Sonne, damit die
wunderschöne Färbung herauskommt.
Vermehrung: Nur aus Samen.
Bemerkung: Vorsicht vor den
scharfen Stacheln.
(Bild Seite 10)

Bitterschopf, Aloe
Aloe aristata
Liliengewächse
(Liliaceae)

5–30° C
Halbschatten
Im Winter gelegentlich gießen

Heimat: Südafrika
Bildet zähe grüne Rosetten von ca.
10–15 cm Durchmesser; mit der Zeit
kann ein Horst von bis zu zwölf
Rosetten entstehen. Die einzelnen
Blätter sind schmal und 8–10 cm lang;
sie tragen etwas erhabene weiße
Flecken. Die kleinen, grünlichen
Blüten stehen in einer lockeren Traube
auf bis zu 50 cm hohen Stengeln.
Haltung: Ideal für das Gewächshaus
oder das Fensterbrett. Leicht in
Einheitserde zu ziehen; benötigt kein
zusätzliches Entwässerungsmaterial.
Vor praller Sonne schützen! Nicht zu
dunkel aufstellen. Bei Zimmerhaltung
im Winter etwas gießen, in einem
kälteren Gewächshaus aber am besten
fast trocken halten und nur gießen,
wenn sie einschrumpfen.
Vermehrung: Einzelne Rosetten kann
man leicht abnehmen und einzeln
einpflanzen. Das sollte man tun, ehe
die Pflanze zu groß wird.

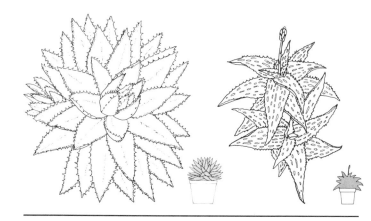

Bitterschopf, Aloe
Aloe brevifolia
Liliengewächse (Liliacae)

5–30° C
Halbschatten
Im Winter etwas feucht halten

Heimat: Südafrika, Kap-Gebiet
Kann große Horste mit 12 oder mehr
Köpfen bilden. Die einzelnen Pflanzen
haben nur einen Durchmesser von bis
zu 8 cm, und man kann sie leicht
abtrennen, bevor der Horst unhandlich
wird. Jeder Kopf besteht aus ca. 30
fleischigen Blättern, die bis zu 6 cm
lang und am Grunde 2 cm breit sind.
Die Oberseite ist glatt, nur auf der
Unterseite stehen ein paar weiche
Stacheln; die Ränder tragen stumpfe,
weiße Zähne. Die Schönheit der
Pflanze wird noch gehoben durch den
30 cm langen Blütenstengel, der am
Ende kleine scharlachrote Röhrenblüten trägt.
Haltung: Ideale Zimmerpflanze. In
Einheitserde pflanzen; vor praller
Sonne schützen, aber auch nicht zu
dunkel stellen. Im Frühling und
Sommer reichlich gießen; im Winter so
viel, daß die Pflanze nicht einschrumpft.
Vermehrung: Durch Jungpflanzen,
die sich am Grunde bilden, oder durch
Teilung größerer Horste.

Bitterschopf, Aloe
Aloe jacunda
Liliengewächse (Liliaceae)

5–30° C
Hell–halbschattig
Im Winter etwas feucht halten

Heimat: Südafrika
Eine echte Zwergsukkulente und eine
der attraktivsten Aloen. Die hübsch
marmorierten fleischigen Blätter bilden
eine kompakte Rosette mit einem
Durchmesser von 8–9 cm. Die
einzelnen Blätter sind bis zu 4 cm lang
und am Grunde 2 cm breit. Diese Aloe
verzweigt sich üppig und bildet bald
einen attraktiven Horst. Die typischen
kleinen, röhrenförmigen Aloeblüten
sind rosarot und stehen auf einem bis
zu 30 cm langen Stengel.
Haltung: Einheitserde ist normalerweise durchlässig genug für diese
Aloe. Auf jeden Fall im Zimmer pflegen
und an ein helles Fenster stellen, aber
nicht in die pralle Sonne. Kann im
Frühling und Sommer in den Garten
ausgepflanzt werden. Im Frühling und
Sommer reichlich gießen. Braucht im
Winter im Zimmer mehr Wasser als im
Gewächshaus.
Vermehrung: Zur Vermehrung kann
man leicht überschüssige Köpfe nebst
Wurzeln abnehmen.
Schädlinge: Im Garten auf Schnek-
kenbefall achten.
(Bild Seite 10)

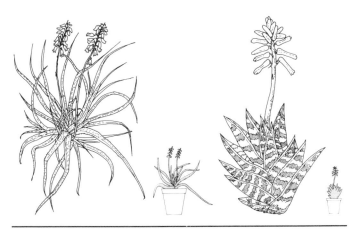

Bitterschopf, Aloe
Aloe × 'Sabra'
Liliengewächse (Liliaceae)

5–28° C
Halbschatten
Während der Blütezeit im Winter
gelegentlich gießen

Herkunft: Diese Hybride wurde von
einem englischen Gärtner gezüchtet
und nach seiner Tochter benannt.
Sehr hübsche, relativ kleinblütige
Sukkulente mit langen, schmalen, fein
gezähnten, violettgrünen, weißgefleck-
ten Blättern, die bis zu 20 cm lang
werden, aber am Grunde nur 12 mm
breit sind. Sie bildet reichlich Ableger,
so daß mit der Zeit ein Horst von
Köpfen entsteht. Jeder kann einen bis
zu 20 cm langen Stengel mit bis zu 30
weißrosa Blüten hervorbringen, die
sich von oben her nacheinander
öffnen. Ein Horst von 13 cm Durchmesser besteht wahrscheinlich aus
5–8 Köpfen.
Haltung: Braucht eine gute, gut
durchlässige Erde (Kakteenerde). In
der Blütezeit leicht gießen, nach der
Blüte aber eine kurze, fast trockene
Ruhepause bis zum zeitigen Frühjahr
einhalten.
Vermehrung: Durch Ableger.
Bemerkung: In praller Sommersonne
vertrocknen die Blattspitzen leicht.

Tigeraloe
Aloe variegata
Liliengewächse (Liliaceae)

10–30° C
Halbschatten
Im Winter trocken halten

Heimat: Von Südafrika bis Arabien
verbreitet
Eine der bekanntesten Sukkulenten.
Die dicken, im Schnitt leicht V-förmigen
Blätter, die bei alten Pflanzen bis zu
15 cm lang, meist jedoch viel kürzer
sind, sind hellgrün mit weißlicher
Bänderung. Trotz ihrer Gewöhnlichkeit
eine entzückende Pflanze, deren
Schönheit manchmal durch das
Erscheinen von leuchtend rosafarbenen Röhrenblüten auf einem bis zu
30 cm langen Stengel noch gesteigert
wird.
Haltung: Diese Aloe eignet sich
besser für das Zimmer als für das
Gewächshaus. In Kakteenerde
pflanzen und vor praller Sonne
schützen. Selbst im Zimmer scheint
sie verblüffend wenig Wasser zu
benötigen. Nur im Frühling und
Sommer gießen, wenn die Pflanze fast
vertrocknet ist.
Vermehrung: Durch Ableger.
(Bild Seite 11)

Aloinopsis schoonesii Eiskrautgewächse (Mesembryanthemaceae)	**Ancistrokaktus** *Ancistrocactus scheeri* Kakteen (Cactaceae)

5–30° C
Pralle Sonne
Im Winter trocken halten

Heimat: Südafrika
Kleine Blattsukkulente. Jeder Kopf besteht aus etwa zehn fleischigen, blaugrünen Blättern. Bildet Horste, kann aber mehrere Jahre lang in einem Topf von 7,5 cm Durchmesser gehalten werden. Den Sommer über erscheinen laufend neue goldgelbe Blüten von ca. 1,5 cm Durchmesser; jede hält mehrere Tage.
Haltung: Braucht eine sehr lockere Erdmischung (Kakteenerde) und einen möglichst hellen Standort. Im Sommer reichlich gießen und anschließend abtrocknen lassen; im Winter nicht gießen. Braucht nicht jedes Jahr umgetopft zu werden.
Vermehrung: Alle drei oder vier Jahre im Frühling den Horst aufbrechen, die Köpfe abziehen, zwei Tage trocknen lassen und einpflanzen.
Bemerkung: Wird in Katalogen oft unter dem alten Namen *Nananthus schoonesii* aufgeführt.

5–30° C
Pralle Sonne
Im Winter trocken halten

Heimat: Mexiko, Texas
Sehr attraktiver Kaktus. Der grob kugelförmige Stamm, der normalerweise keine Ableger bildet, trägt wunderschöne starke, gelbliche Stacheln, die manchmal bis zu 4 cm lang werden. Die trichterförmigen, gelblichgrünen Blüten sind ca. 2,5 cm breit.
Haltung: Nicht besonders pflegeleicht. Die Hauptschwierigkeit liegt darin, daß die großen, fleischigen Wurzeln leicht vergehen, wenn sie auch nur etwas zuviel Wasser bekommen, deswegen werden manche Pflanzen als Pfröpflinge gepflegt. Sehr lockere Erdmischung (Kakteenerde) verwenden und möglichst hell aufstellen. Nur im Frühling und Sommer gießen. Wenn die Wurzeln vergehen, bis auf das gesunde Gewebe zurückschneiden, trocknen lassen und umtopfen.
Vermehrung: Durch Samen.
(Bild Seite 11)

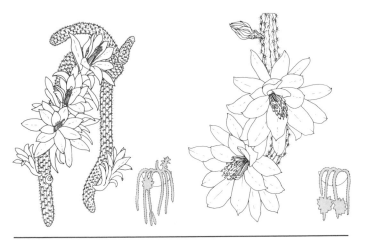

Schlangen- oder Peitschen-kaktus
Aporocactus flagelliformis
Kakteen (Cactaceae)

5–30° C
Diffuses Sonnenlicht
Das ganze Jahr feucht halten

Heimat: Mexiko
Die schlanken Triebe können bis 2 m lang werden; sie sind eng gerippt und dicht mit kleinen braunen Stacheln besetzt. Im zeitigen Frühjahr bedecken sich die Triebe mit lebhaft kirschroten, röhrenförmigen Blüten, die bis zu 5 cm lang sind; sie halten mehrere Tage.
Haltung: Eignet sich als Ampelpflanze und gedeiht prächtig am Fenster. Als Substrat Einheitserde verwenden. Während der Wachstumsperiode alle zwei Wochen einmal mit Tomatendünger düngen. Jedes Jahr umtopfen. Nie völlig trocken werden lassen, auch im Winter nicht. Im Sommer reichlich gießen.
Vermehrung: Durch Stecklinge im Frühsommer. Wenn die Pflanze zu groß wird, kann man eine der »Schlangen« abschneiden, zwei Tage trocknen lassen und einpflanzen.
Schädlinge: Wolläuse können eine ernste Gefahr darstellen; bei einer großen Pflanze übersieht man sie leicht. Mit einem Systeminsektizid behandeln.
(Bild Seite 12)

Schlangen- oder Peitschen-kaktus
Aporocactus mallisonii
Kakteen (Cactaceae)

5–30° C
Diffuses Sonnenlicht
Das ganze Jahr leicht feucht halten

Herkunft: In England gezüchtete Hybride aus *A. flagelliformis* und *Heliocereus speciosus*, heißt korrekt × *Heliaporus smithii*.
Die kräftigen, bis ca. 1 m langen Triebe sind tief gerippt und mit kurzen Stacheln bedeckt; im Frühsommer tragen sie zahlreiche leuchtend rote Blüten.
Haltung: Eignet sich hervorragend als Hängepflanze; gedeiht im warmen Wohnzimmer, braucht aber viel Licht. Einheitserde verwenden. Jedes Jahr umtopfen. Während der Wachstumsperiode im Sommer reichlich gießen und alle zwei Wochen mit Tomatendünger düngen.
Vermehrung: Kann als Hybride nur vegetativ vermehrt werden. Wenn die Pflanze zu groß geworden ist, schneidet man einen der Triebe ab, läßt ihn zwei Tage trocknen und pflanzt ihn ein; im Frühsommer ist der Erfolg am größten.
Schädlinge: Der Hauptfeind ist die Wollaus. Die Triebe regelmäßig überprüfen. Bei Befall mit einem Insektizid sprühen.
(Bild Seite 12)

Argyroderma octophyllum
Eiskrautgewächse
(Mesembrayanthemaceae)

5–30° C
Pralle Sonne
Im Winter trocken halten

Heimat: Nordwestliches Kapland
Diese Pflanze hat keinen Stamm,
sondern nur ein paar dicke, eiförmige,
blaugrüne Blätter und wird nie mehr als
3 cm hoch. Aus der Spalte zwischen
den Blättern entspringt im Spätsommer
eine ca. 2 cm breite Blüte, die sich an
sonnigen Nachmittagen öffnet und
abends schließt; sie hält mehrere Tage.
Haltung: Ideal für ein kleines,
sonniges Gewächshaus. Kakteenerde
verwenden. Alle drei oder vier Jahre
umtopfen. Nie zuviel gießen, sonst
schwemmt die Pflanze auf.
Im Frühling beginnen die beiden alten
Blätter zu schrumpfen; zwischen ihnen
erscheint eine neue Pflanze. Nicht
gießen, bis die alten Blätter völlig
vertrocknet sind. An sonnigen Tagen
bis zum Herbst weiter gießen. Im
Winter trocken halten.
Schädlinge: Wolläuse und Wurzelläuse können ernste Schäden
verursachen. Mit einem Insektizid
gießen.

Wollfruchtkaktus
Ariocarpus fissuratus var.
lloydii
Kakteen (Cactaceae)

5–30° C
Pralle Sonne
Immer vorsichtig gießen

Heimat: Texas, Nordmexiko
A. fissuratus hat große Ähnlichkeit mit
einem Stein. Er hat eine verdickte
Pfahlwurzel, auf der oben große,
abgeflachte Höcker sitzen. Diese sind
grau und tragen zwischen den neuen
Trieben rahmfarbene Wolle. Die
großen, seidigen, rosafarbenen Blüten
entspringen aus der Mitte der Pflanze;
sie öffnen sich im Spätherbst oder
Frühwinter. Eine ausgewachsene
Pflanze von 15 cm Durchmesser hat
vielleicht 20 Jahre gebraucht, um diese
Größe zu erreichen.
Haltung: Eignet sich nur für die
Gewächshauskultur. Zur erfolgreichen
Pflege ist ein Höchstmaß an Sonnen-
schein, eine sehr lockere Erdmischung
(Kakteenerde) und vorsichtiges
Gießen erforderlich. Nie zuviel gießen.
Im Sommer an sonnigen Tagen
gießen, im Winter trocken halten.
Schädlinge: Die zarten, jungen Triebe
werden manchmal von Wolläusen
befallen. Die wollige Mitte der Pflanze
öfter auf diese Schädlinge hin
untersuchen.
(Bild Seite 13)

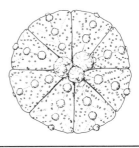

Wollfruchtkaktus
Ariocarpus trigonus
Kakteen (Cactaceae)

5–30° C
Pralle Sonne
Sehr vorsichtig gießen

Heimat: Zentralmexiko bis Südtexas
Seltener und ungewöhnlicher Kaktus.
Lange, aufrechte Höcker von
bräunlichgrauer Farbe stehen wie eine
Krone auf der großen Pfahlwurzel.
Kultivierte Pflanzen haben meist nicht
mehr als 13 cm Durchmesser. Im
Spätherbst oder Frühwinter entspringen aus der Mitte der Pflanze
blaßgelbe Blüten mit seidigem Glanz.
Haltung: Nur unter Glas zu halten; im
Sommer heiß, im Winter kühl und
trocken. Mit größter Vorsicht gießen,
und nur an sonnigen Tagen, damit alle
überschüssige Feuchtigkeit schnell
abtrocknet. Die Erde muß sehr gut
entwässern und gut durchlässig sein.
Am besten Kakteenerde verwenden.
Bemerkungen: Kakteen der Gattung
Ariocarpus wachsen langsam,
schwellen aber manchmal am Hals
dicht unter der Erde an und klemmen
sich im Topf ein. Daher zwischen
Pflanze und Topfrand unbedingt einen
Abstand von ca. 1 cm lassen.

Seeigelkaktus
Astrophytum asterias
Kakteen (Cactaceae)

5–30° C
Pralle Sonne
Nicht zuviel gießen

Heimat: Mexiko
Sieht wie ein graugrüner Seeigel aus
und ist mit keinem anderen Kaktus zu
verwechseln. Bildet schließlich eine
abgeflachte Halbkugel von ca. 10 cm
Durchmesser. Der Stamm besteht aus
acht stachellosen Rippen, und die Haut
ist mit weißen Flecken bedeckt. Jede
Pflanze ist anders gefleckt; manche
sind wunderschön weiß gepunktet,
andere sind fast ohne Zeichnung. Die
Blüten öffnen sich laufend den ganzen
Sommer über; sie sind glänzend
blaßgelb mit rotem Schlund und duften
süß. Schon Sämlinge von ca. 2,5 cm
Durchmesser blühen.
Haltung: In lockere Kakteenerde
pflanzen und hell aufstellen. Nie zuviel
gießen; im Winter die Erde völlig
trocken halten. An trüben Tagen nicht
gießen. Damit die Pflanze ständig
blüht, hält man sie im sonnigsten Teil
des Gewächshauses und gibt alle zwei
Wochen Tomatendünger, sobald sich
Knospen bilden.
(Bild Seite 13)

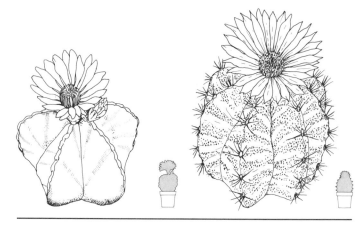

Bischofsmütze
Astrophytum myriostigma
Kakteen (Cactaceae)

5–30° C
Pralle Sonne
Trockene Winterruhe

Heimat: Nordmexiko
Säulenkaktus, der bis zu 20 cm dick
wird. Die Anzahl der Rippen schwankt
zwischen vier und acht. Sie haben
keine Stacheln, aber wegen der
hervortretenden Areolen sieht es aus,
als sei die Pflanze in ihre Haut
eingeknöpft. Diese ist dunkelgrün und
völlig mit silbrigen Schuppen bedeckt.
Die süßduftenden Blüten sind gelb mit
rötlichem Schlund; sie erscheinen
laufend den ganzen Sommer über auf
dem Scheitel der Pflanze.
Haltung: Pflegeleichtestes *Astrophytum*; braucht als Wüstenpflanze ein
Höchstmaß an Licht. Kakteenerde
verwenden. Im Sommer reichlich
gießen, dabei nach jeder Wassergabe
trocknen lassen, und alle zwei Wochen
flüssigen Tomatendünger geben; im
Winter trocken halten.
Schädlinge: Woll- und Wurzelläuse
können eine Plage sein; sie sehen wie
weiße Schuppen aus.
(Bild Seite 14)

Sternkaktus
Astrophytum ornatum
Kakteen (Cactaceae)

5–30° C
Pralle Sonne
Vorsichtig gießen

Heimat: Nordmexiko
Dieser Kaktus blüht erst, wenn er ca.
15 cm hoch ist, wozu er wahrscheinlich
etwa zehn Jahre braucht, ist aber auch
ohne Blüten attraktiv. Der Stamm ist in
acht Rippen geteilt, die kräftige,
bernsteinfarbene Stacheln tragen. Die
Haut ist dunkelgrün mit einer
Bänderung aus silbrigen Schuppen.
Die süßduftenden, blaßgelben Blüten
stehen oben auf der Pflanze.
Haltung: Braucht Sonne, damit die
lebhafte Färbung erhalten bleibt.
Kakteenerde verwenden. Den
Sommer über reichlich gießen, aber
trocknen lassen, bevor man wieder
gießt. Sobald sich Knospen bilden, alle
zwei Wochen eine Dosis Tomatendünger geben. Im Winter die Erde trocken
halten. Achtgeben, daß die winterliche
Trockenruhe nicht durch Tropfwasser
im Gewächshaus beeinträchtigt wird.
Schädlinge: Beim alljährlichen
Umtopfen die Wurzel auf aschgrauen
Belag untersuchen, der den Befall
durch Wolläuse anzeigt; gegebenenfalls mit einem Insektizid gießen.
(Bild Seite 14)

Borstenkaktus
Borzicactus aureiflora
Kakteen (Cactaceae)

5–30° C
Pralle Sonne
Im Winter trocken halten

Heimat: Ekuador bis Nordperu
Obwohl der kugelige Stamm in der
Natur 30 cm dick werden kann, sind
kultivierte Pflanzen meist viel kleiner,
mit mehr abgeflachtem als kugeligem
Stamm. Die zahlreichen Rippen tragen
kräftige, vorstehende, farbige
Stacheln. Im Sommer erscheinen
oben auf dem Stamm leuchtend gelbe
Blüten mit gewöhnlich 3 cm Durch-
messer.
Haltung: Durchlässige Erdmischung
(Kakteenerde) verwenden und hell
aufstellen (möglichst in die pralle
Sonne). Im Sommer reichlich gießen
und etwa alle zwei Wochen einmal mit
Tomatendünger düngen. Bei wirklich
gutem Licht entwickelt sich die schöne
Färbung der Stacheln besser.
Vermehrung: Durch Samen.
Bemerkung: Dieser Kaktus ist auch
unter seinem alten Namen *Matucana
aureiflora* bekannt.

Borzicactus aureispinus
Kakteen (Cactaceae)

5–30° C
Pralle Sonne
Im Winter trocken halten

Heimat: Ekuador bis Nordperu
Dieser ungewöhnliche Kaktus ist eine
Bereicherung jeder Sammlung. Die bis
zu 50 cm langen und 4–5 cm dicken,
eleganten Triebe sind mit golden
glitzernden Stacheln bedeckt, und bei
älteren Pflanzen kann man wunderschöne lachsrosa Blüten erwarten. Die
Pflanze verzweigt sich reichlich vom
Grund aus, so daß schließlich ein Horst
von Trieben entsteht.
Haltung: Wegen der zahlreichen
langen Triebe etwas schwierig zu
behandeln. Man kann diese entweder
an einen kräftigen Stab binden, den
man in den Topf steckt, oder eine
Schale verwenden und die Triebe über
den Rand und am Gestell oder Brett im
Gewächshaus entlangkriechen lassen.
Als Substrat Kakteenerde verwenden.
Schädlinge: Wolläuse verstecken
sich gern zwischen den dichtstehen-
den Stacheln.
Bemerkung: Dieser Kaktus hieß
früher *Hildewintera aureispina* und
Winterocereus aureispinus.
(Bild Seite 14)

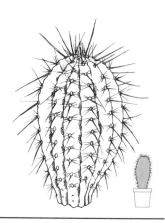

Fliegenblume
Caralluma europaea
Seidenpflanzengewächse
(Asclepiadaceae)

10–30° C
Pralle Sonne
Im Winter mäßig trocken halten

Heimat: Nordafrikanische Küste bis
Südspanien
Kleine Sukkulente, die trotz ihrer
Verwandtschaft mit den Aasblumen
nichts Unangenehmes an sich hat. Der
vierkantige, leicht gezähnte – nicht
gestachelte – Stamm verzweigt sich
reich und wird ca. 10 cm lang. Die
Pflanze hat einen etwas kriechenden
Habitus. Sie trägt im Sommer
sternförmige gelbe Blüten mit
tiefvioletter Zeichnung, die einen
Durchmesser von 2 cm haben.
Haltung: Pflegeleicht, kann aber im
Winter Kummer machen. Bei
Verwendung einer guten, gut
entwässernden Erdmischung
(Kakteenerde) kann man im Sommer
reichlich gießen. Vor feuchter Kälte
schützen. Im Winter möglichst nicht
kälter als 10° C halten, notfalls im
Zimmer, und so viel gießen, daß die
Pflanze nicht verschrumpelt.
Bemerkung: Kann zwar niedrigere
Temperaturen als die angegebenen
10° C überstehen, wird dann aber
leicht von Pilzen befallen, die meist als
schwarze Flecken auf den Trieben
erscheinen. Bei kühleren Temperaturen trocken halten!

Kandelaberkaktus
Carnegiea gigantea
Kakteen (Cactaceae)

5–30° C
Pralle Sonne
Im Winter trocken halten

Heimat: Arizona, Kalifornien, Sonora
Eine der größten Kakteen, aber wegen
des äußerst langsamen Wachstums
recht gut als Topfpflanze geeignet. Ein
15 m hoher Kandelaberkaktus hat
immerhin das stattliche Alter von ca.
200 Jahren. In der Kultur ist eine 10
Jahre alte Pflanze im Durchschnitt ca.
15 cm hoch. Sie bildet eine gerippte
grüne Säule mit kurzen Stacheln, ohne
die für die riesigen Pflanzen der Wüste
typischen, aufwärts weisenden Arme;
die Blüte wird der Besitzer kaum
erleben.
Haltung: Die Erde muß besonders gut
durchlässig sein; man verwendet am
besten Kakteenerde und gibt
obendrauf eine 1 cm dicke Schicht
Kies, so daß Fäulnis am Grund der
Pflanze verhindert wird. Nie zuviel
gießen.
Bemerkung: Der Kandelaberkaktus
ist das Symbol des Staates Arizona.

Carpobrotus edulis
Eiskrautgewächse
(Mesembryanthemaceae)

Verträgt keinen Frost
Pralle Sonne
Bei heißem Wetter reichlich gießen

Heimat: Südafrika
Schnellwüchsige Staude mit 1 m
langen, liegenden Zweigen und
großen, grasgrünen Blättern mit
dreieckigem Querschnitt. Blüht nicht
üppig, aber die Blüten sind groß
(Durchmesser ca. 10 cm) und kräftig
violett, gelb oder orange.
Haltung: Wie viele staudige
Sukkulenten gedeiht *C. edulis* besser,
wenn er in der warmen Jahreszeit im
Freien gehalten wird. Er braucht einen
sonnigen Platz und muß bei anhalten-
der Trockenheit gelegentlich
gegossen werden.
Vermehrung: Wenn die Pflanze
sparrig wird, sollte man sie durch
Jungpflanzen, die man aus Stecklingen
heranzieht, ersetzen. Man schneidet
die Stecklinge im Spätsommer und
überwintert sie an einem hellen
Fenster oder in einem frostfreien
Gewächshaus. Stecklinge stets etwas
feucht halten.
Schädlinge: Wird im Freien von den
gleichen Schädlingen befallen wie
andere Gartenpflanzen.
(Bild Seite 15)

Greisenhaupt
Cephalocereus senilis
Kakteen (Cactaceae)

7–30° C
Pralle Sonne
Sehr vorsichtig gießen

Heimat: Mexiko
In ihrer Heimat können diese Kakteen
– bei entsprechendem Alter (200
Jahre) – 12 m hohe und 45 cm dicke
Säulen bilden. Man braucht bei
Zimmerhaltung aber nicht zu fürchten,
daß der Sämling einem über den Kopf
wächst. Die weißen Blüten erscheinen
erst, wenn der Kaktus 6 m hoch ist. Der
blaßgrüne Stamm mit gelben Stacheln
ist völlig unter langen weißen Haaren
verborgen. Mit zunehmendem Alter
verlieren die unteren Haare die Farbe.
Haltung: Dieser Kaktus braucht einen
möglichst warmen und sonnigen Platz.
Vor feuchter Kälte schützen.
Unbedingt erforderlich sind ein sehr
lockeres Substrat (Kakteenerde) und
eine Trockenruhe im Winter. In den
langen Haaren verfängt sich Staub.
Damit die Pflanze schön weiß bleibt,
muß man den Staub gelegentlich
vorsichtig mit dem Fön abblasen.
Vermehrung: Im Spätfrühling kann
man die Pflanze teilen: den oberen Teil
des Stammes abschneiden, drei Tage
trocknen lassen und einpflanzen.
(Bild Seite 15)

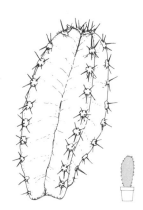

Säulenkaktus
Cereus peruvianus
Kakteen (Cactaceae)

5–30° C
Pralle Sonne
Im Sommer reichlich gießen

Heimat: Uruguay, Brasilien
Dieser Säulenkaktus ist eine hübsche
Bereicherung jeder Sammlung. Die
kräftige Pflanze wird in ein paar Jahren
ca. 2 m hoch; in ihrer Heimat erreicht
sie eine Höhe von 9 m. Der blaugrüne
Stamm ist gerippt. Die Rippen tragen
kräftige Stacheln. Die Blüten sind
innen weiß und außen rot; sie öffnen
sich nur nachts.
Haltung: In Einheitserde pflanzen.
Jedes Jahr umtopfen; nicht im Topf
festwurzeln lassen. Im Sommer
reichlich gießen und etwa einmal im
Monat mit Tomatendünger düngen. Im
Winter trocken halten.
Vermehrung: Durch Teilung. Wenn
die Pflanze an das Dach des
Gewächshauses stößt, schneidet man
oben ein ca. 1 m langes Stück ab,
trocknet es drei Tage lang und pflanzt
es ein. Am alten Stamm bilden sich
Äste, die man zur Vermehrung
verwenden kann.
Schädlinge: Die zähe, kräftige Pflanze
wird kaum von Schädlingen befallen.
(Bild Seite 16)

Leuchterblume
Ceropegia woodii
Seidenpflanzengewächse
(Asclepiadaceae)

7–30° C
Pralle Sonne
Im Winter etwas feucht halten

Heimat: Trockengebiete Afrikas,
Indiens und Australiens
An langen, drahtigen Stengeln stehen
kleine, herzförmige Blätter. Wenn die
Pflanze feucht gehalten wird, sind sie
dünn und grün, wenn sie trocken
gehalten wird, werden sie dick und
entwickeln eine reizvolle silbrige
Zeichnung. Die Stengel verwurzeln
sich im Boden und bilden kleine
Knollen. Die Blüten stehen hoch wie
winzige violette Kerzen. Nach der
Blüte entwickeln sich hornförmige
Samenkapseln, in denen flache
Samen liegen, jeder mit einem
winzigen Fallschirm.
Haltung: Eine hübsche, zierliche
Hängepflanze, die sowohl im kühlen
wie auch im warmen Zimmer gut
gedeiht. Benötigt eine kräftige, aber
lockere Erde und einen sonnigen Platz.
Im Sommer reichlich gießen, aber im
Winter nur eben leicht feucht halten
und vor feuchter Kälte schützen. Das
Wurzelsystem ist flach, daher genügt
als Pflanzgefäß eine Schale.
Vermehrung: Durch Samen,
Knöllchen und Stecklinge.
(Bild Seite 16)

Zwergcereus
Chamaecereus silvestrii
Kakteen (Cactaceae)

0–30° C
Pralle Sonne
Im Winter trocken halten

Heimat: Westliches Argentinien Zwergsträucher mit vielen fingerdünnen, hellgrünen, achtrippigen Gliedern, die kurze Stacheln tragen. Im Frühling und Sommer sind sie fast völlig mit zahlreichen leuchtend scharlachroten, kurztrichterigen Blüten von 4 cm Durchmesser bedeckt.
Haltung: Anspruchslos, mit jeder guten Erdmischung zufrieden. Im Frühling und Sommer reichlich gießen. Im Winter kalt halten, damit er schön blüht. Eine der härtesten Kakteen, überlebt im Frühbeetkasten, wenn er ganz trocken gehalten wird.
Vermehrung: Der am leichtesten zu vermehrende Kaktus. An den Trieben erscheinen Ableger, die grünen Erdnüssen ähneln; sie fallen bei der leichtesten Berührung ab und können sofort eingepflanzt werden.
Bemerkung: Dieser Kaktus heißt neuerdings *Lobivia silvestrii*.
(Bild Seite 33)

Zwergcereus
Chamaecereus silvestrii,
gelbe Hybride
Kakteen (Cactaceae)

0–30° C
Pralle Sonne
Im Winter trocken halten

Von *Ch. silvestrii* gibt es viele Hybriden, kompakte Pflanzen mit kurzen, gedrungenen, aufrechten, verzweigten Trieben. Diese Form trägt im Frühling und Sommer zahlreiche leuchtend gelbe Blüten von 4 cm Durchmesser; ähnliche Hybriden haben rote bzw. orangefarbene Blüten.
Haltung: In Einheitserde pflanzen; Kakteenerde ist nur erforderlich, wenn die Entwässerung nicht einwandfrei ist. Im Frühling und Sommer, sobald sich Knospen bilden, reichlich gießen und alle zwei Wochen mit einem Tomatendünger düngen. Im Winter kühl halten, um die Blüte anzuregen.
Vermehrung: Diese Hybriden bilden Ableger, die zwar nicht so leicht abfallen wie die der Stammform, aber ebenfalls leicht zur Vermehrung verwendet werden können.
Schädlinge: Vorsicht vor Wolläusen!
(Bild Seite 33)

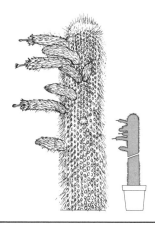

Silberkerze
Cleistocactus strausii
Kakteen (Cactaceae)

5–30° C
Pralle Sonne
Im Sommer reichlich gießen

Heimat: Südbolivien bis Nordargentinien
Schlanke, bis 2 m hohe Säule, die sich vom Grunde aus verzweigt. Dicht mit kurzen weißen Stacheln bedeckt, so daß die Pflanze im Sonnenschein glänzt. Ausgewachsene Pflanzen (ab 80 cm Höhe) blühen in Kultur reichlich. Die karminroten Blüten stehen seitlich am Stamm. Die langen, engen Röhren öffnen sich nur so weit, daß Staubfäden und Griffel herausragen.
Haltung: Dieser kräftige Kaktus braucht eine gute lehmige Erde, um gesund zu bleiben. Nicht im Topf festwurzeln lassen, sondern jedes Jahr umtopfen. Im Sommer reichlich gießen und gelegentlich mit einem Tomatendünger düngen. Im Winter trocken halten. Um die Blüte anzuregen, an den sonnigsten Platz stellen.
Vermehrung: Wenn die Stämme zu dicht stehen, kann man einige abnehmen und als Stecklinge verwenden.
(Bild Seite 34)

Conophytum
Conophytum bilobum
Eiskrautgewächse
(Mesembryanthemaceae)

5–30° C
Pralle Sonne
Völlig trockene Ruhezeit

Heimat: Südafrika
Die beiden ungestielten Blätter dieses Eiskrautgewächses sind zu einem herzförmigen Körper mit glatter Oberfläche und blaßgrüner Farbe verschmolzen. Die leuchtend gelben Blüten sprießen im Spätsommer aus der Spalte zwischen den Blättern.
Haltung: Die Arten der Gattung *Conophytum* sind ideal für ein kleines Gewächshaus, brauchen aber pralle Sonne. *C. bilobum* ist eine der pflegeleichtesten Arten. Die Erdmischung muß sehr locker sein. Wässern kann ein Problem darstellen: Die Pflanzen wachsen im Spätsommer und Herbst, jetzt regelmäßig wässern. Hört man mit dem Gießen auf, dann schrumpft die Pflanze langsam ein. Die winterliche Trockenruhe darf im Gewächshaus nicht durch Tropfwasser gestört werden. Mit der Zeit sprießen aus der alten Pflanze 2–3 neue Köpfe. Wenn der vorjährige Trieb zu einer papierdünnen Haut eingeschrumpft ist, wieder mit dem regelmäßigen Gießen beginnen.
(Bild Seite 34)
Vermehrung: siehe *C. frutescens.*

Ganz oben: *Chamaecereus silvestrii,* ein sehr beliebter' und pflegeleichter Zwergcereus. Die fingerähnlichen Sprosse sind im Frühling und Sommer mit leuchtenden Blüten bedeckt. Siehe Seite 31.

Oben: Gelbe Hybride von *Chamaecereus,* die gedrungener als die Stammform ist. Siehe Seite 31.

Links außen: Die schöne silberne Säule von *Cleistocactus strausii* kann über 1 m hoch werden und verzweigt sich gewöhnlich am Grunde. Ältere Pflanzen tragen kleine Blüten, die sich aber nicht ganz öffnen. Siehe Seite 32.

Links: Vielleicht die attraktivste Art einer entzückenden Gruppe von Zwergsukkulenten ist *Conophytum frutescens*. Jeder Kopf besteht aus zwei sehr fleischigen Blättern, zwischen denen die Blüte erscheint. Siehe Seite 49.

Links unten: *Conophytum bilobum* bildet rasch kompakte kleine Horste mit zahlreichen recht großen, gelben Blüten. Siehe Seite 32.

Unten: Die kleinen *Copiapoa cinerea*-Kakteen tragen in gemäßigten Klimaten selten Blüten, sind aber wegen ihres gedrungenen Wuchses und des reizvollen Gegensatzes zwischen der blaugrauen Pflanze und den schwarzen Stacheln sehr lohnend. Siehe Seite 49.

Links außen: *Coryphantha vivipara,* ein reich blühender, kleiner Kaktus, dessen kugelige Sprosse gewöhnlich ein Polster bilden. Kann in gut drainierter Erde auch niedrige Temperaturen überstehen. Siehe Seite 50.

Links oben: *Crassula deceptrix,* eine Zwergsukkulente mit zahlreichen verzweigten Stämmen, die dicht mit Blättern von ungewöhnlicher Form bedeckt sind. Sehr hübsch, auch wenn die Blüten winzig sind. Siehe Seite 51.

Mitte links: *Dolichothele (Mammillaria) longimamma* unterscheidet sich von den meisten Mammillarien durch die besonders langen Warzen, die man abtrennen und zur Vermehrung verwenden kann. Siehe Seite 52.

Links unten: *Crassula arborescens* kann recht groß werden, eignet sich aber auch gut als Zimmerpflanze. Am besten nimmt man Stecklinge ab und zieht eine neue Pflanze auf, wenn die alte Pflanze zu groß wird. Siehe Seite 50.

Unten: Die winzigen Borsten von *Delosperma pruinosum (D. echinatum)* glitzern in der Sonne wie Glas. Die Pflanze bleibt bei guter Belichtung gedrungen. Siehe Seite 52.

Oben: *Echeveria derenbergii*, eine der allerschönsten und zugleich pflegeleichtesten Echeverien. Die leuchtend bunten Blüten stehen auf ganz kurzen Stielen. Siehe Seite 53.

Oben rechts: Eher kurios als schön zu nennen ist *Echeveria gibbiflora* var. *carunculata,* die vor allem wegen der im Alter erscheinenden blasigen Wucherungen auf den Blättern gehalten wird. Siehe Seite 54.

Rechts außen: Das Schönste an dieser Echeverie *(Echeveria harmsii)* sind die zahlreichen großen Blüten. Die Pflanze selbst ist sparrig. Am besten schneidet man jedes Jahr Stecklinge und zieht immer neue Pflanzen heran. Siehe Seite 54.

Rechts: *Echeveria* 'Doris Taylor', eine Hybride mit wunderschönen samtigen Blättern und vielfarbigen Blüten. Ableger bilden oft schon an der Mutterpflanze Wurzeln, daher ist diese Sukkulente besonders leicht zu vermehren. Siehe Seite 53.

Ganz oben: Die kompakte, behaarte Rosette von *Echeveria setosa* ist allein schon attraktiv, ganz abgesehen von der großartigen Blütenpracht. Siehe Seite 55.

Oben: Von *Echinocactus grusonii* blühen nur ganz große Pflanzen. Kälte kann braune Verfärbungen hervorrufen, daher im Winter am besten ins Wohnzimmer umsiedeln. Siehe Seite 56.

Oben: Über die niederliegenden Sprosse von *Echinocereus pentalophus* sieht man gern hinweg – wegen der großen, selbst bei kleinen Pflanzen zahlreichen, rötlichvioletten Blüten. Siehe Seite 57.

Links: *Echinocactus horizonthalonius* ist schwierig, aber lohnend zu pflegen. Siehe Seite 56.

Unten: *Echinocereus knippelianus,* ein polsterbildender Kaktus, pflegeleicht und blühwillig. Siehe Seite 57.

Oben: Die rosa Blüten von *Echinopsis multiplex* sind ungewöhnlich wegen ihres süßen Duftes, welken aber leider schon nach ein bis zwei Tagen. Die große Blüte mit dem tiefen Trichter ist typisch für *Echinopsis*-Arten. Siehe Seite 60.

Links oben: Der kleine Kugelkaktus *Echinocereus perbellus* lohnt die Pflege – allein schon wegen der aparten Bestachelung. Selbst ganz junge Pflanzen tragen große Blüten. Siehe Seite 58.

Links außen: Die Sprosse von *Echinocereus salm-dyckianus* sind weicher und aufrechter als die der meisten anderen *Echinocereus*-Arten. Siehe Seite 58.

Mitte links: *Epiphyllum* 'Ackermannii', wohl die häufigste und schönste kultivierte *Epiphyllum*-Hybride. Siehe Seite 62.

Links: *Epiphyllum* 'Cooperi', eine ungewöhnliche *Epiphyllum*-Hybride, da ihre – süß duftenden – Blüten am Grunde entspringen. Siehe Seite 62.

43

Oben: Die Blüten dieser kräftig wachsenden *Echinopsis*-Hybride (Paramount 'Peach Monarch') haben eine wunderschöne samtige Struktur. Siehe Seite 61.

Links: *Echinopsis*-Paramount-Hybride 'Orange Glory' ist die wohl am stärksten bestachelte *Echinopsis*-Hybride. Sie besitzt große, leuchtend orangefarbene Blüten. Siehe Seite 61.

Unten: *Epiphyllum* 'Deutsche Kaiserin', eine besonders reich blühende Hybride mit zahlreichen rosa Blüten an riemenartigen Sprossen. Siehe Seite 63.

Rechts: *Epiphyllum*-Hybriden werden in der Hauptsache ihrer Blüten wegen gepflegt. *Epiphyllum* 'Gloria' trägt im Frühling oder Sommer wahrhaft riesige Blüten; jetzt muß sie vor Sonne geschützt und gelegentlich gedüngt werden. Siehe Seite 63.

Unten: *Euphorbia bupleurifolia,* eine besonders erlesene sukkulente Euphorbie. Die Blüten sind klein, aber attraktiv; die warzigen Stämme höchst apart. Männliche und weibliche Pflanzen haben verschiedene Blüten. Nie zu stark gießen und unbedingt für gute Entwässerung sorgen. Siehe Seite 64.

Rechts: *Euphorbia horrida* sieht auf den ersten Blick wie ein Kaktus aus – ist aber keiner. Es gibt männliche und weibliche Pflanzen; die männlichen erkennt man am Blütenstaub. Siehe Seite 81.

Rechts oben: Euphorbien-Blüten sind meist klein und wirken auf den ersten Blick oft unscheinbar, es lohnt sich jedoch, sie aufmerksamer zu betrachten. Hier die gelben Blüten von *E. horrida.* Siehe Seite 81.

Rechts außen: *Euphorbia mammillaris* var. *variegata* besitzt nur kleine Blüten, wirkt aber mit den hübschen bunten Sprossen und ihrem gedrungenen Wuchs höchst attraktiv. Siehe Seite 81.

Oben: *Euphorbia milii* ist genau
genommen gar keine Sukkulente, wird
aber allgemein in Sammlungen
gepflegt und ist sehr beliebt. Sie
wächst in wärmeren Regionen das
ganze Jahr im Freien und bildet dichte
Hecken. Siehe Seite 82.

Rechts: *Euphorbia resinifera,* eine
kaktusähnliche Sukkulente. Sie bildet
mit der Zeit große Horste. Pflegeleicht,
braucht eine gut entwässernde Erde
und muß im Winter trocken gehalten
werden. Siehe Seite 83.

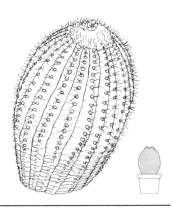

Conophytum
Conophytum frutescens
Eiskrautgewächse
(Mesembryanthemaceae)

5–30° C
Pralle Sonne
Braucht völlig trockene Ruhezeit

Heimat: Südafrika
Das einzige Blattpaar ist zu einem ca.
3 cm hohen, herzförmigen Gebilde
verschmolzen. Die Blätter sind grün
mit hellen Flecken; im Hochsommer
entspringen aus dem Spalt wunderschöne orangerote Blüten. Mit der Zeit
bildet die Pflanze Stämme und
entwickelt sich schließlich zu einer ca.
15 cm hohen Staude.
Haltung: Braucht eine sehr lockere
Erde, am besten Kakteenerde
verwenden. Alle vier oder fünf Jahre
umtopfen. Muß während der Ruhezeit
völlig trocken gehalten werden. Wenn
im Hochsommer die alte Pflanze völlig
eingeschrumpft ist und neue Köpfe
erschienen sind, beginnt man mit dem
Gießen und fährt damit bis zum
Spätherbst fort. In die pralle Sonne
stellen.
Vermehrung: Wenn die Pflanze
unansehnlich wird, schneidet man die
Köpfe, an denen man ein Stückchen
Stamm beläßt, ab und verwendet sie
als Stecklinge.
Bemerkung: Wird auch als *C.
salmonicolor* geführt.
(Bild Seite 35)

Copiapoa
Copiapoa cinerea
Kakteen (Cactaceae)

5–30° C
Pralle Sonne
Vorsichtig gießen

Heimat: Nordchile
Eine der schönsten südamerikani-
schen Kakteen mit kalkweißer Haut;
die Rippen tragen wunderschön davon
abstechende, glänzend schwarze
Stacheln. Wird wegen ihrer schönen
Gestalt gepflegt; blüht in Kultur selten,
wohl weil es schwierig ist, ihr das zur
Knospenbildung nötige Licht zu geben
– sie braucht die glühende Sonne ihrer
heimatlichen Wüste. Blüten bis 3 cm
lang, gelb. Die meisten kultivierten
Pflanzen haben die Größe einer
Grapefruit. Wirkt attraktiver als
Einzelpflanze.
Haltung: Braucht eine lockere, sehr
gut entwässernde Erde (Kakteenerde).
Im Winter trocken halten, aber im
Sommer reichlich gießen, jedoch nach
jeder Wassergabe austrocknen lassen.
Gehört in den sonnigsten Teil des
Gewächshauses, damit die glänzende
Farbe erhalten bleibt. Im Winter vor
Feuchtigkeit schützen.
Vermehrung: Bildet mit der Zeit an
den Rippen Ableger, die man zur
Vermehrung verwenden kann.
(Bild Seite 35)

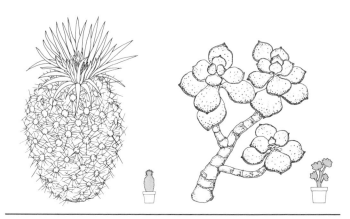

| *Coryphantha vivipara*
Kakteen (Cactaceae) | **Dickblatt**
Crassula arborescens
Dickblattgewächse
(Crassulaceae) |

5–30° C
Pralle Sonne
Vorsichtig gießen

5–30° C
Pralle Sonne
Das ganze Jahr feucht halten

Heimat: Westliches Nordamerika
Kleiner Kugelkaktus. Sehr geeignet für
Sammler mit wenig Platz. *C. vivipara* ist
eine reichlich sprossende Pflanze. Der
graue Stamm ist höckerig; oben auf
den Höckern stehen weiße Stacheln.
Im Sommer sprießen auf dem Scheitel
der Pflanze rötlich-violette Blüten.
Haltung: Kakteenerde verwenden. Im
Spätfrühling und Sommer reichlich
gießen, dabei keine stauende Nässe
aufkommen, sondern die Erde
zwischendurch austrocknen kann.
Sobald sich Knospen bilden, alle zwei
Wochen mit Tomatendünger düngen.
Im Winter trocken halten. Braucht
einen sonnigen Platz, da Helligkeit die
Knospenbildung anregt und die
schöne Färbung der Stacheln erhält.
Schädlinge: Woll- und Wurzelläuse
sind die häufigsten Schädlinge. Bei
Befall durch Wurzelläuse wäscht man
die ganze Erde ab, scheuert den Topf
aus und füllt neue Erde ein. Pflanze mit
einem Insektizid gießen.
(Bild Seite 36)

Heimat: Südafrika
Eine der größten *Crassula*-Arten, bildet
einen reich verzweigten Strauch mit
dicken, holzigen Stämmen, die über
2 m hoch werden. Die breiten,
fleischigen Blätter sind weißgrau
bereift mit rotem Rand, die Blüten rosa.
Haltung: Kakteenerde verwenden,
damit keine stauende Nässe entsteht.
Die Pflanze hat keine feste Ruhezeit
und muß das ganze Jahr über feucht
gehalten werden. *Crassula*-Arten
brauchen helles Licht, wenn die Blätter
jedoch anfangen, runzlig auszusehen,
muß man die Pflanze an einen etwas
schattigeren Platz stellen. Wenig
blühwillig. Bildet einen eindrucksvollen
Hintergrund für ein großes Gewächshaus und kann im Sommer auch als
Schmuck auf der Terrasse dienen.
Schädlinge: Schildläuse können
lästig werden. Man liest sie am besten
ab, denn Sprühen kann Flecken auf
den Blättern hinterlassen.
(Bild Seite 36)

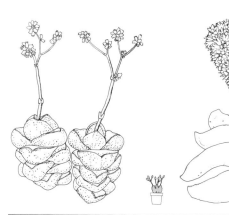

Dickblatt
Crassula deceptrix
Dickblattgewächse
(Crassulaceae)

7–30° C
Pralle Sonne
Das ganze Jahr leicht feucht halten

Heimat: Südafrika
Wunderschöne Zwergsukkulente, die sich vom Grund aus verzweigt. Die bis 10 cm hohen vierkantigen Stämme sind völlig unter den dichtstehenden Blättern verborgen. Die fleischigen Blätter tragen einen weißen Überzug, und die Pflanze sieht aus wie aus weißem Stein geschnitten. Die weißen Glockenblüten stehen auf schlanken Stielen. In Kultur reichblühend.
Haltung: In Kakteenerde pflanzen. Ideal für ein kleines Gewächshaus oder ein sonniges Fensterbrett. Verlangt im Sommer eine trockenere Ruhezeit, darf aber auch sonst nie zuviel Wasser bekommen und muß nach jedem Wässern austrocknen.
Vermehrung: Leicht zu vermehren: Man schneidet einen der Stämme ab, läßt ihn zwei Tage trocknen und pflanzt ihn ein.
Schädlinge: Auf der weißen Pflanze werden Wolläuse oft übersehen. Regelmäßig überprüfen und Wolläuse mit einer Pinzette ablesen. Wasser kann Flecken auf den Blättern hinterlassen.
(Bild Seite 37)

Sichelblatt
Crassula falcata
Dickblattgewächse
(Crassulaceae)

7–30° C
Pralle Sonne
Das ganze Jahr feucht halten

Heimat: Südafrika
Bis 90 cm hoch werdender Halbstrauch mit großen, weißgrauen, sichelförmigen, fleischigen Blättern. Der kurze Blütenstiel trägt eine große, flache Dolde mit zahlreichen winzigen scharlachroten Glöckchenblüten. Im Gewächshausbeet verzweigt sich die Pflanze.
Haltung: Eine recht befriedigende Zimmerpflanze, wenn sie einen Platz in praller Sonne bekommt. Braucht eine gut entwässernde Erdmischung (Kakteenerde). Das ganze Jahr feucht halten, aber zwischen den Wassergaben austrocknen lassen und gleich nach der Blüte etwas trockener halten. Wenn die Knospenbildung beginnt, alle zwei Wochen flüssigen Tomatendünger geben.
Vermehrung: Strauchige *Crassula*-Arten werden mit der Zeit sparrig und sollten im Frühsommer durch Jungpflanzen ersetzt werden. *C. falcata* läßt sich durch Blatt- und durch Stammstecklinge leicht vermehren.
Bemerkung: *C. falcata* ist die Stammutter vieler wunderschöner Hybriden geworden.

Delosperma echinatum
Eiskrautgewächse
(Mesembryanthemaceae)

Langwarzenkaktus
Dolichothele longimamma
Kakteen (Cactaceae)

5–30° C
Pralle Sonne
Das ganze Jahr feucht halten

5–30° C
Pralle Sonne
Im Winter trocken halten

Heimat: Südafrika
Kleiner, stark verzweigter Busch mit
dicken, fleischigen Blättern. Diese sind
mit Papillen bedeckt, die winzige
Borsten tragen, so daß die Blätter in der
Sonne glitzern. Blüht den ganzen
Sommer über. Die 1,5 cm großen
Blüten sind weißlich oder gelb. Sie
öffnen sich in der Sonne – also nicht an
wolkigen Tagen und wenn die Pflanze
ständig im Schatten steht – und
schließen sich abends.
Haltung: Wächst am besten in
sonnigen Rabatten, in denen sich die
Wurzeln frei ausbreiten können. Kann
in Regionen, in denn keine Frostgefahr
besteht, das ganze Jahr draußen
bleiben. Bei Zimmerpflanzen
achtgeben, daß sie nicht austrocknen.
Vermehrung: Im Sommer kleine
Stecklinge abnehmen, die man im
Haus an einem hellen Platz überwintern
kann.
Schädlinge: Wird im Freien von den
üblichen Gartenschädlingen befallen
und kann mit den entsprechenden
Insektiziden behandelt werden.
(Bild Seite 37)

Heimat: Zentralmexiko bis Südtexas
Reich blühende kleine Pflanze mit
verdickter Pfahlwurzel. Die leuchtend
gelben, glänzenden Blüten sind 6 cm
groß und erscheinen in Abständen den
ganzen Sommer über. Der Kaktus
selbst ist leuchtend grün mit sehr
großen Warzen, auf deren Spitze
weiche Stacheln stehen. Im Alter
bilden sich Ableger.
Haltung: In Kakteenerde pflanzen.
Während der Wachstumsperiode im
Frühjahr und Herbst reichlich gießen,
im Winter trocken halten. Sonne ist
notwendig zur Anregung der Bildung
von Blütenknospen. Sobald diese
erscheinen, alle zwei Wochen mit
Tomatendünger düngen. Vor Kälte und
Nässe schützen.
Vermehrung: Durch Ableger oder
durch Abnehmen einer Warze, die man
zwei Tage trocknen läßt und dann
einpflanzt.
Bemerkung: Die Gattung *Dolichothele*
wird manchmal mit *Mammillaria*
vereinigt.
(Bild Seite 37)

Echeverie
Echeveria derenbergii
Dickblattgewächse
(Crassulaceae)

5–30° C
Pralle Sonne
Das ganze Jahr feucht halten

Heimat: Mexiko bis Peru
Fast kugelige, 3–6 cm große Rosette
aus blaugrauen, rötlich gerandeten
Blättern, die Stachelspitzchen tragen.
Im Sommer erscheinen zahlreiche
kleine, glockenförmige, rotgelbe bis
zinnoberrote Blüten.
Haltung: In Einheitserde pflanzen.
Gedeiht ebensogut im Gewächshaus
wie auf einem sonnigen Fensterbrett.
Echeverien sind pflegeleicht. Im
Sommer mäßig gießen und alle zwei
Wochen eine Dosis Tomatendünger
geben. Im Winter etwas feucht halten.
In der Mitte der Rosette darf sich
jedoch kein Wasser sammeln.
Vermehrung: In der Natur werfen
Echeverien während der winterlichen
Trockenzeit die unteren Blätter ab, um
Feuchtigkeit zu sparen. Auch wenn es
der Pflanze in der Kultur nicht an
Wasser mangelt, schrumpfen die
unteren Blätter, so daß die Pflanze im
Frühjahr recht struppig aussieht. Daher
nimmt man im zeitigen Frühjahr
Ableger ab und zieht neue Pflanzen
heran.
(Bild Seite 38)

Echeverie
Echeveria 'Doris Taylor'
Dickblattgewächse
(Crassulaceae)

5–30° C
Pralle Sonne
Nie austrocknen lassen

'Doris Taylor' ist eine Kreuzung aus *E.
setosa* und *E. pulvinata*.
Die sich stark verzweigende Pflanze
wirkt am besten in einem halbhohen
Topf. Die blaßgrünen, dicht mit weißen
Haaren bedeckten Blätter stehen auf
einem rötlichbraunen Stamm und
bilden schmucke Rosetten. Die
orangeroten, glockenförmigen Blüten
öffnen sich im Frühjahr.
Haltung: Gedeiht in Einheitserde an
einem hellen Platz im Gewächshaus
oder auf dem Fensterbrett. Im Frühjahr
und Sommer reichlich gießen und alle
zwei Wochen mit Tomatendünger
düngen. Im Winter etwas feucht halten,
aber vor Kälte und Nässe schützen.
Vermehrung: Im Frühjahr wird die
Pflanze sparrig, dann zieht man
Jungpflanzen heran: Man köpft die
Hauptrosette, nimmt die kleineren ab
und pflanzt sie einzeln ein.
Schädlinge: Im Winter schrumpfen
die unteren Blätter; man muß sie
abnehmen, sonst siedeln sich auf
ihnen Pilze an, die den Tod der Pflanze
verursachen können.
(Bild Seite 38)

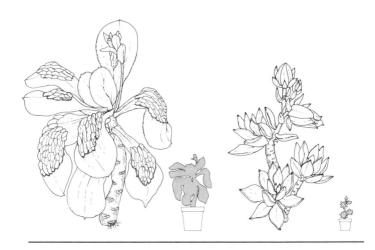

Echeverie
Echeveria gibbiflora var.
carunculata
Dickblattgewächse
(Crassulaceae)

5–30° C
Pralle Sonne
Im Winter leicht feucht halten

Heimat: Mexiko
Große Echeverie mit dichten Rosetten.
Die großen, 25 cm langen Blätter sind
rosa-lavendelfarben und mit
zunehmendem Alter mit großen,
blauen bis grünen höckerigen oder
blasigen Wucherungen bedeckt. Die
hellroten Blüten erscheinen auf
kräftigen Stielen im Winter.
Haltung: Gedeiht in jeder guten
Einheitserde. Im Frühling und Sommer
reichlich gießen, im Winter nur eben
feucht halten. Die Blätter nicht mit
Wasser bespritzen, da dies den
Wachsüberzug beschädigt.
Vermehrung: Wird leicht sparrig und
muß im Frühjahr geköpft werden.
Wenn man Glück hat, bilden sich an
den alten Blattnarben des Stammes
ein oder zwei Ableger. Diese kann man
abnehmen, sobald sie 2,5 cm breit
sind, und einpflanzen. Der abgenom-
mene obere Teil wird natürlich auch
eingepflanzt.
(Bild Seite 39)

Echeverie
Echeveria harmsii
Dickblattgewächse
(Crassulaceae)

5–30° C
Pralle Sonne
Das ganze Jahr feucht halten

Heimat: Mexiko
Kleiner, verzweigter Strauch. Am Ende
der Stämme stehen Rosetten aus
langen, weichen, daunig behaarten
Blättern. Die 2,5 cm langen, glockenförmigen Blüten sind scharlachrot mit
gelber Spitze. Wird als einzige
Echeverie mehr wegen der schönen
Blüten als wegen der bunten Blätter
gepflegt.
Haltung: Gedeiht in Einheitserde auf
einem sonnigen Fensterbrett. Im
Sommer alle zwei Wochen mit
Tomatendünger düngen und reichlich
gießen, im Winter weniger. In der Mitte
der Rosette darf sich kein Wasser
sammeln.
Vermehrung: Wenn die Pflanze im
Frühjahr struppig aussieht, schneidet
man die Rosetten ab und verwendet
sie als Stecklinge.
Schädlinge: Echeverien werden leicht
von Wolläusen befallen. Bei starkem
Befall tränkt man die Erde mit einem
Systemgift.
(Bild Seite 39)

Echeverie
Echeveria hoveyii
Dickblattgewächse
(Crassulaceae)

5–30° C
Pralle Sonne
Vorsichtig gießen

Heimat: Mexiko
Eine Gruppe lockerer Rosetten auf
kurzen Stämmen. Die langen,
schmalen Blätter sind graugrün mit
rahmfarbenen und rosa Streifen. Am
stärksten leuchten die Farben im
Frühjahr. Gelegentlich treten farblose
Blätter und Rosetten auf, die entfernt
werden müssen.
Haltung: Eine hübsche Pflanze für ein
sonniges Fensterbrett oder Gewächshaus. Wirkt, wie viele gruppenbildende
Pflanzen, am besten in einer Schale,
die unbedingt ein Loch im Boden
haben muß, um einen guten
Wasserabfluß zu sichern. Um wirklich
kräftige Farben zu erhalten, in die pralle
Sonne stellen und nicht zuviel gießen.
Kakteenerde verwenden und nach
jedem Gießen austrocknen lassen.
Vermehrung: Im Frühling sieht die
Pflanze leicht struppig aus; dann
schneidet man die Rosetten ab und
pflanzt sie wieder ein.
Schädlinge: Vor allem im Winter auf
Wolläuse achten. Verschrumpelte
Blätter entfernen, damit sie nicht faulen
und von Pilzen befallen werden
können.

Echeverie
Echeveria setosa
Dickblattgewächse
(Crassulaceae)

5–30° C
Pralle Sonne
Vorsichtig gießen

Heimat: Mexiko
Flache, fast stammlose, dicht- und
reichblättrige Rosetten von ca. 15 cm
Durchmesser. Die weichen, dunkel-
grünen Blätter sind dicht mit weißen
Haaren bedeckt. Die Blätter liegen dem
Boden sehr eng an. Ausgewachsene
Pflanzen blühen im Frühjahr. Die roten
Blüten besitzen gelbe Spitzen und
sitzen langgestielt auf schlanken
Stengeln.
Haltung: Braucht einen sonnigen
Platz. Wirkt am besten in einem
halbhohen Topf. Als Substrat
Einheitserde verwenden. Das ganze
Jahr über gießen, zwischen den
Wassergaben austrocknen lassen. Im
Mittelpunkt der Rosette darf sich kein
Wasser sammeln. Sobald sich
Blütenknospen bilden, alle zwei
Wochen mit Tomatendünger düngen.
Vermehrung: Ausgewachsene
Pflanzen bilden gelegentlich Ableger,
die man zur Vermehrung abnimmt.
Schädlinge: Alle verschrumpelten
oder faulenden Blätter müssen
beseitigt werden, da sie Grauschimmel
(Botrytis) anziehen.
(Bild Seite 40)

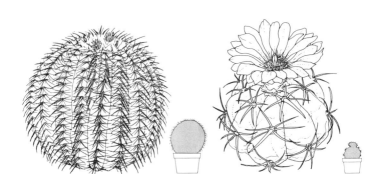

Goldkugelkaktus
Echinocactus grusonii
Kakteen (Cactaceae)

7–30° C
Pralle Sonne
Im Winter trocken halten

Heimat: Mexiko und südwestliche USA
Selten sprossender, bis 80 cm breit werdender Kaktus. Junge Pflanzen haben sehr deutliche Warzen und sehen wie junge Mammillarien aus. Nach einigen Jahren ordnen sich die Warzen zu Rippen, meist etwa 28 pro Pflanze. Mit dichter, goldgelber Bestachelung und goldgelbem, wolligem Scheitel. Die Stacheln haben die Form einer Ahle. Sehr große Pflanzen bringen kleine gelbe Blüten hervor, aber nur, wenn sie sehr starker Sonne ausgesetzt sind. In kälteren Regionen wird die Pflanze nur wegen ihrer schönen Farben gepflegt.
Haltung: Braucht einen lockeren Boden (Kakteenerde). Im Sommer reichlich gießen, aber zwischendurch austrocknen lassen. Im Winter trocken halten. Vor kalter und feuchter Luft schützen.
Schädlinge: Wird vorwiegend von Woll- und Wurzelläusen befallen.
(Bild Seite 40)

Igelkaktus
Echinocactus horizonthalonius
Kakteen (Cactaceae)

7–30° C
Pralle Sonne
Vorsichtig gießen

Heimat: Mexiko
Die kleinste Art der Gattung, blüht als einzige im Topf. Abgeflachte Kugel, bläulichgrün mit dicken, grauen Stacheln und 8–13 flachen Rippen. Die rosa Blüten bilden einen Ring um den Scheitel der Pflanze. Eine blühende Pflanze hat einen Durchmesser von 30 cm.
Haltung: Eine erlesene Pflanze, aber nicht gerade pflegeleicht. Eine extreme Wüstenpflanze, an glühende Sonne und rasche Entwässerung angepaßt. Gedeiht am besten im sonnigsten Teil des Gewächshauses in sehr lockerer Kakteenerde. Im Frühjahr und Sommer an sonnigen Tagen gießen, aber danach jedesmal austrocknen lassen. Darf nie im Wasser stehen. Im Winter trocken halten.
(Bild Seite 41)

Igel-Säulenkaktus
Echinocereus knippelianus
Kakteen (Cactaceae)

5–30° C
Pralle Sonne
Im Winter trocken halten

Heimat: Mexiko
Eiförmiger oder kugeliger Stamm von
ca. 5 cm Durchmesser, der sich nach
einigen Jahren am Grunde verzweigt,
so daß eine kompakte Gruppe
entsteht. Die Stämme haben 5 Rippen,
auf denen wenige kurze, borstige
Stacheln stehen. Die sattrosafarbenen,
ca. 4 cm großen Blüten, die im Frühjahr
und Sommer an den Seiten des
Stammes entspringen, bilden einen
reizvollen Kontrast zu dem dunklen
Grün des Stammes.
Haltung: Wegen der schwachen
Bestachelung recht leicht zu
handhaben. Als Substrat Kakteenerde
verwenden. Sobald sich Knospen
bilden, alle zwei Wochen mit
Tomatendünger düngen. Faulende
Zweige sofort herausschneiden.
Vermehrung: Im Frühjahr oder
Sommer schneidet man einen
wenigstens 2,5 cm dicken Sproß
sorgfältig ab, läßt ihn ein paar Tage
trocknen und steckt ihn vorsichtig in
frische Erde.
(Bild Seite 41)

Igel-Säulenkaktus
Echinocereus pentalophus
Kakteen (Cactaceae)

5–30° C
Pralle Sonne
Im Winter trocken halten

Heimat: Texas, östliches Mexiko
Kurzer, aufrechter Stamm, der sich
bald verzweigt und einen »Rasen«
kriechender Sprosse von ca. 12 cm
Länge und 2 cm Dicke bildet. Die
Stacheln sind ganz kurz und weich.
Der Kaktus selbst ist nicht besonders
aufregend, aber die großartigen Blüten
machen diesen Mangel mehr als wett.
Ganz kleine, einstämmige Pflanzen
bringen bis zu 8 cm große rötlichvio-
lette Blüten hervor.
Haltung: Da die recht weichen,
fleischigen Stämme bei einem
Übermaß an Wasser leicht faulen, ist es
besonders wichtig, für gute Entwässerung zu sorgen, damit keine stauende
Nässe entsteht. Dazu verwendet man
Kakteenerde. Im Sommer reichlich
gießen.
Vermehrung: Im Sommer einen
geeigneten Sproß abnehmen, ein paar
Tage trocknen lassen und einpflanzen.
(Bild Seite 41)

Igel-Säulenkaktus
Echinocereus perbellus
Kakteen (Cactaceae)

5–30° C
Pralle Sonne
Im Winter trocken halten

Heimat: Mexiko und westliche USA
Eine der sog. »kammartigen«
Echinocereen, unterscheidet sich
völlig von den mehr liegenden Arten.
Vorwiegend einstämmig, kann aber mit
der Zeit eine niedrige Gruppe bilden.
Der Stamm ist zuerst fast kugelförmig
bei einem Durchmesser von ca. 5 cm,
kann aber schließlich länglich werden.
Der Stamm besitzt viele schmale
Rippen, die dicht mit kurzen, weißen,
gespreizten Stacheln geziert sind
(daher die Bezeichnung »kammartig«).
Die ca. 5 cm großen, sattrosa bis
violetten Blüten gehen aus behaarten
Knospen hervor.
Haltung: Dieser Kaktus ist fast völlig
winterhart und kann im Winter
trockenen Frost vertragen; vorsichts-
halber sollte man aber möglichst die
empfohlenen Temperaturen einhalten.
Als Substrat verwendet man
Kakteenerde.
Schädlinge: Unter den gespreizten
Stacheln können sich Wolläuse
verbergen.
(Bild Seite 42)

Igel-Säulenkaktus
*Echinocereus salm-
dyckianus*
Kakteen (Cactaceae)

5–30° C
Pralle Sonne
Im Winter trocken halten

Heimat: Mexiko
Es gibt zwei Typen von *Echinocereus:*
den mit ziemlich weichen, fast
kriechenden und den mit starreren,
aufrechten, elegant bestachelten
Stämmen. *E. salm-dyckianus* gehört
zur ersten Gruppe. Kleinere Pflanzen
haben zwar nur einen aufrechten
Stamm, dieser verzweigt sich aber bald
am Grunde, so daß schließlich eine
Gruppe von ca. 20 cm langen und
5 cm dicken, dunkelgrünen, gerippten
Stämmen mit kurzen, gelblichen
Stacheln entsteht. Reichblühende Art.
Die trichterförmigen, langröhrigen,
rötlichen Blüten sind ca. 7 cm breit und
bis 10 cm lang.
Haltung: Als Substrat verwendet man
Kakteenerde, die die notwendige
Durchlässigkeit besitzt. Eine
Deckschicht Kies schützt die Basis der
Pflanze. Während der Blütezeit alle
zwei Wochen düngen, um die Blüten
zu erhalten. Braucht im Winter eine
kalte Ruhepause.
(Bild Seite 42)

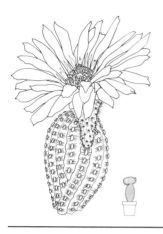

Igel-Säulenkaktus
Echinocereus websterianus
Kakteen (Cactaceae)

5–30° C
Pralle Sonne
Im Winter trocken halten

Heimat: Südwestliche USA
Ein weiterer reizender *Echinocereus*
der kammartigen Gruppe. Der
leuchtend grüne Stamm wird durch ca.
20 schmale Rippen geteilt, die mit
Gruppen kurzer, starrer, gespreizter
weißer Haare besetzt sind. Wird in der
Natur recht groß. Verzweigt sich
gewöhnlich nicht. Die Blüten können
den gleichen Durchmesser haben wie
der Stamm. Kleine Pflanzen tragen
meist nur eine Blüte auf einmal, die aus
einer großen, borstigen Knospe
entspringt. Die grün-gelbe Mitte der
Blüte sticht prächtig gegen die
rosa-lavendelfarbenen Kronblätter ab.
Haltung: Als Substrat verwendet man
gut entwässernde Kakteenerde; dann
kann man im Frühjahr und Sommer
reichlich gießen. Braucht eine kalte
Winterruhe, damit er im nächsten Jahr
blüht. Wenn er zu einer Wohnzimmer-
sammlung gehört, sollte man sie in
einem ungeheizten Raum überwintern.
Im Winter auf Wurzelschwund
überprüfen.

Lamellenkaktus
*Echinofossulocactus
lamellosus*
Kakteen (Cactaceae)

10–30° C
Pralle Sonne
Im Winter trocken halten

Heimat: Hidalgo (Mexiko)
Sehr attraktiver blaugrüner, zunächst
kugeliger Stamm, der sich zu einer bis
zu 10 cm dicken Säule entwickelt. Die
vielen dünnen Rippen sind gewellt
(typisch für diese Gattung). Die
abgeflachten weißen Stacheln sind
1–3 cm lang und teilweise aufwärts
gebogen. Ganz kleine Pflanzen tragen
oft schon Blüten; diese sind rosa,
innen rot, röhrenförmig und ca. 4 cm
lang.
Haltung: Stammt aus von der Sonne
verbrannten Bergregionen und
braucht, um schöne Stacheln und
Blüten hervorzubringen, so viel Sonne,
wie er nur irgend bekommen kann;
eignet sich daher nicht sehr als
Zimmerpflanze. Als Substrat eine
durchlässige, etwas kalkhaltige
Erdmischung verwenden. Im Frühjahr
und Sommer reichlich gießen. Braucht
im Winter eine kalte Ruhepause,
jedoch nicht unter 10° C.
Bemerkung: Die Gattung wurde
früher *Stenocactus* genannt.

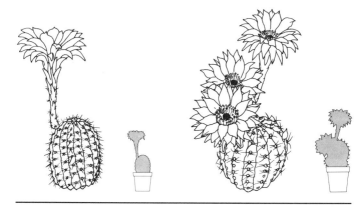

Seeigelkaktus
Echinopsis aurea
Kakteen (Cactaceae)

5–30° C
Pralle Sonne
Im Winter kühl und trocken halten

Heimat: Córdoba (Argentinien)
Ca. 10 cm hoher, säulenartiger,
gerippter Stamm. Die Rippen tragen
kurze Stacheln. Der Hauptstamm
bildet einige Ableger. Die Blüten sind
wunderschön zitronengelb – eine bei
Echinopsis ungewöhnliche Farbe. Die
Hauptblütezeit ist im Spätfrühjahr,
doch erscheinen auch im Sommer
einzelne Blüten.
Haltung: *Echinopsis* brauchen gute
Pflege.·Die lehmige Erde muß jedes
Jahr erneuert werden. Während der
Knospenbildung und der Blüte alle
zwei Wochen düngen. Braucht – wie
alle Wüstenkakteen – viel Sonne, um
Knospen und kräftige, schön gefärbte
Stacheln zu bilden.
Vermehrung: Die Ableger können
abgenommen und eingepflanzt
werden.
Bemerkung: Wird in Katalogen
manchmal noch unter dem alten
Namen *Lobivia (Pseudolobivia) aurea*
geführt.

Seeigelkaktus
Echinopsis multiplex
Kakteen (Cactaceae)

5–30° C
Pralle Sonne
Im Winter kühl und trocken halten

Heimat: Argentinien
Bringt im Frühsommer zahlreiche
zartrosa Blüten mit einer ca. 20 cm
langen Röhre hervor; ihr süßer Duft
erinnert an Lilien. Sie öffnen sich bei
Nacht und bleiben den folgenden Tag
über geöffnet. Echte *E. multiplex*
haben lange, dicke Stacheln. Sie
bilden zahlreiche Ableger.
Haltung: In Einheitserde. Im Frühjahr
und Sommer reichlich gießen,
zwischen den Wassergaben die Erde
austrocknen lassen. Während der
Blütezeit 14tägig düngen. Jedes Jahr
umtopfen. Damit die Pflanze schnell
die zum Blühen nötige Größe erreicht
und sich nicht zu sehr ausbreitet,
sollten die Ableger abgenommen
werden.
Schädlinge: Vorsicht vor Wolläusen!
Bemerkung: Viele als *E. multiplex*
verkaufte Pflanzen mit rosa Blüten und
ganz kurzen Stacheln sind Hybriden,
vermutlich mit *E. eyriesii.*
(Bild Seite 43)

Seeigelkaktus
Echinopsis Paramount-
Hybride 'Orange Glory'
Kakteen (Cactaceae)

5–30° C
Pralle Sonne
Im Winter kühl und trocken halten

Herkunft: Eine der wunderschönen in
den USA gezüchteten *Echinopsis* ×
Lobivia-Hybriden.
Säulenkaktus mit vielen Rippen, die
kurze Stacheln tragen. Junge Pflanzen
bilden ein paar Ableger. Die Farbe der
Blüten ist ein sattes, glühendes
Orange, das bei reinen *Echinopsis*
nicht vorkommt.
Haltung: Diese Wüstenpflanze
braucht zur Knospenbildung und zur
Erzeugung kräftiger, schön gefärbter
Stacheln pralle Sonne. Als Substrat
Einheitserde verwenden. Jedes Jahr
umtopfen. Während der Wachstumsperiode im Frühjahr und Sommer
reichlich gießen, aber zwischen den
Wassergaben Erde austrocknen
lassen. Sobald sich Blütenknospen
bilden, alle zwei Wochen düngen.
Vermehrung: Zur Vermehrung kann
man die Ableger abnehmen.
Schädlinge: Die zähe Pflanze ist
gegen die meisten Schädlinge
unempfindlich.
(Bild Seite 44)

Seeigelkaktus
Echinopsis Paramount-
Hybride 'Peach Monarch'
Kakteen (Cactaceae)

5–30° C
Pralle Sonne
Während der Blütezeit feucht halten

Herkunft: Eine in Paramount
(Kalifornien) gezüchtete Hybride.
15 cm hohe und 10 cm dicke Säule.
Die zahlreichen Rippen tragen wenige
kurze Stacheln. Junge Pflanzen bilden
ein paar Ableger. Die pfirsichfarbenen
Blüten haben eine lange Röhre. Sie
öffnen sich im Frühsommer;
manchmal blüht ein Dutzend
gleichzeitig.
Haltung: *Echinopsis* sind pflegeleicht.
Man verwendet ein lehmiges oder
erdfreies Substrat und gibt ihnen einen
Platz, an dem sie ein Höchstmaß an
Sonne bekommen. Helles Licht ist zur
Knospenbildung notwendig; sobald
diese einsetzt, muß die Pflanze feucht
gehalten und alle zwei Wochen
gedüngt werden, am besten mit
Tomatendünger. Diese Pflanzen sind
»Fresser« und müssen jedes Jahr
umgetopft werden.
Vermehrung: Zur Vermehrung
verwendet man die Ableger.
(Bild Seite 45)

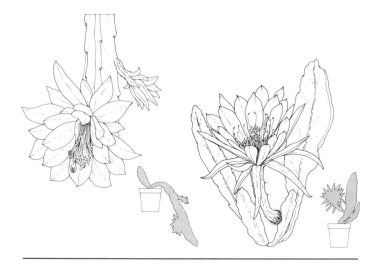

Blattkaktus
Epiphyllum 'Ackermannii'
Kakteen (Cactaceae)

5–27° C
Halbschatten
Im Winter fast trocken halten

Herkunft: Die heute meist *Nopalxochia ackermannii* genannte Pflanze ist höchstwahrscheinlich eine Kreuzung von *N. phyllanthoides* aus dem tropischen Regenwald Mexikos und *Heliocereus speciosus*. Der korrekte Name ist × *Heliochia vandesii*. Epiphyllen sind echte Kakteen, obwohl sie gar nicht so aussehen. Die meisten kultivierten Formen sind Hybriden mit anderen Gattungen; sie sind widerstandsfähiger und haben prächtigere Blüten. 'Ackermannii' ist eine der ältesten, aber die Farben-pracht ihrer Blüten ist unübertroffen. Sie entspringen an den Kerben am Rand der Sprosse und halten oft mehrere Tage.
Haltung: Als Substrat kann man Einheitserde verwenden, aber ein Zusatz von Torf oder Blattstreu ist vorteilhaft. Wichtig ist auch gute Entwässerung. Während der Knospenbildung und Blütezeit mit Tomatendünger düngen.
(Bild Seite 43)

Blattkaktus
Epiphyllum 'Cooperi'
Kakteen (Cactaceae)

5–27° C
Halbschatten
Im Winter fast trocken halten

Herkunft: Hybride aus *Epiphyllum* und *Selenicereus*
Im Unterschied zu anderen Epiphyllen entspringen die ca. 10 cm großen Blüten am Grunde der Pflanze, nicht an den Rändern der Sprosse. Sie sind weiß und duften, was für Kakteen ganz ungewöhnlich ist. Wenn die großen Knospen im Frühjahr oder Sommer voll ausgebildet sind, öffnen sie sich am Abend. Man kann ihnen dabei fast zusehen; gegen 22 Uhr erfüllt ein starker, an Lilien erinnernder Duft den ganzen Raum.
Haltung: Als Substrat Einheitserde verwenden. Gelegentlich düngen. Vorsicht, zuviel Stickstoff verursacht braune Flecken. Erträgt im Winter niedrige Temperaturen, gedeiht aber besser bei höheren, etwa an einem schattigen Fenster im Zimmer. Im Frühjahr und Sommer reichlich gießen, im Winter im Zimmer feuchter halten als im Gewächshaus. Schätzt eine feuchte Atmosphäre, darum gelegent-lich mit Wasser übersprühen.
(Bild Seite 43)

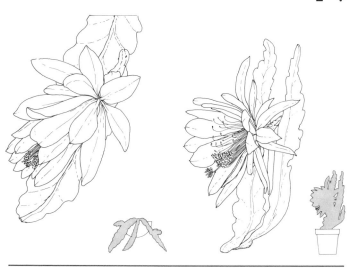

Blattkaktus
Epiphyllum 'Deutsche Kaiserin'
Kakteen (Cactaceae)

5–27° C
Halbschatten
Im Winter etwas feucht halten

Herkunft: Die Herkunft vieler *Epiphyllum*-Hybriden ist unklar. 'Deutsche Kaiserin' ist wahrscheinlich gar kein *Epiphyllum*, sondern eine *Nopalxochia*-Hybride, wird aber wegen der großen Ähnlichkeit in Aussehen und Ansprüchen meist zu den Epiphyllen gestellt.
Während die meisten Epiphyllen gestützt werden müssen, wenn der Stamm ca. 30 cm lang wird, ist dies eine echte Hängepflanze. Im Frühjahr und Sommer bedecken sich die Stämme, die bis 60 cm lang werden, mit zahlreichen sattrosa Blüten von ca. 5 cm Durchmesser.
Haltung: Ideal für den Hängekorb. Gedeiht in Einheitserde, ist aber dankbar für einen Zusatz von Laubstreu oder Torf. Im Frühjahr und Sommer alle zwei Wochen düngen. Gelegentlich übersprühen und nicht in die pralle Sonne stellen. Nie austrocknen lassen.
(Bild Seite 45)

Blattkaktus
Epiphyllum 'Gloria'
Kakteen (Cactaceae)

5–27° C
Halbschatten
Im Winter fast trocken halten

Herkunft: Eine von Dutzenden, wenn nicht Hunderten von *Epiphyllum*-Hybriden.
Besonders attraktiv wegen der riesigen orangerosa Blüten von bis zu 20 cm Durchmesser, die allerdings, wie bei den meisten bei Tage blühenden Formen, nicht duften.
Haltung: Alle Blattkakteen verlangen praktisch die gleiche Pflege. Wichtig ist eine gute, nahrhafte Erdmischung; wenn Einheitserde zu fest erscheint, nimmt man Kakteenerde. Wenn man Laubstreu bekommen kann, mischt man welche zu – nie dagegen Kalk oder Kreide. Nicht in die pralle Sonne stellen und nie völlig austrocknen lassen. Im Frühjahr und Sommer reichlich gießen und etwa alle zwei Wochen düngen.
'Gloria' ist einigermaßen widerstandsfähig und eignet sich ausgezeichnet für ein kühles Gewächshaus. Unter den trockeneren Bedingungen im Wohnzimmer tut ein gelegentliches Übersprühen mit sauberem, kalkfreiem Wasser gut.
(Bild Seite 46)

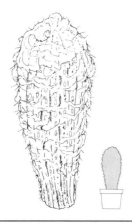

Watte-Cereus
Espostoa lanata
Kakteen (Cactaceae)

10–30° C
Pralle Sonne
Im Winter trocken halten

Heimat: Nordperu
Kann in der Heimat baumhoch werden,
zum Kauf angebotene Exemplare sind
jedoch hübsche kleine Pflanzen. Die
etwa 20rippigen Säulen sind mit einer
Fülle wolliger weißer Haare bedeckt,
die zum Streicheln einlädt, aber
Vorsicht! Unter den Haaren stehen
nadelspitze Stacheln. Sie werden mit
den Jahren größer und kommen
zwischen den Haaren zum Vorschein.
Für gewöhnlich blühen nur ausgewachsene Pflanzen. Die Blüten sind
blaßrosa, seidig behaart und erblühen
nachts.
Haltung: Als Substrat verwendet man
handelsübliche Kakteenerde. Bei
15° C trocken überwintern. Sonst
sonnig aufstellen und recht warm
halten. Muß gedreht werden, wenn er
am Fenster steht.
Vermehrung: Durch Aussaat.

Wolfsmilch
Euphorbia bupleurifolia
Wolfsmilchgewächse
(Euphorbiaceae)

10–30° C
Pralle Sonne
Im Winter trocken halten

Heimat: Südafrika
Erlesene kleine, stachellose Sukkulente, die gewöhnlich bis 10 cm hoch
wird. Wird mehr wegen des Gesamt-
eindrucks gehalten als wegen der
kleinen, im Frühjahr am Scheitel
erscheinenden Blüten. Der dicke, sich
nur selten verzweigende Stamm ist mit
warzigen Höckern bedeckt. Im
Frühjahr entspringt auf dem Scheitel
ein Schopf von Blättern, der meist zum
Winteranfang abfällt.
Haltung: Nicht besonders pflegeleicht.
Gute Entwässerung ist lebenswichtig,
daher verwendet man am besten
Kakteenerde. Im Frühjahr und
Sommer gießen, aber nur, wenn die
Erde fast trocken ist. Vor Kälte und
Nässe schützen. Wenn die Heizung im
Gewächshaus im Winter niedrig
gehalten wird, bringt man die Pflanze
am besten, ehe es richtig kalt wird, in
einen ungeheizten Raum im Haus,
stellt sie aber ans hellste Fenster.
(Bild Seite 46)

Ganz oben: *Euphorbia obesa*, die Extremform einer Sukkulente. Das Bild zeigt eine weibliche Pflanze mit Samenkapseln auf dem Scheitel des (einzigen) Stammes. Siehe Seite 82.

Oben: *Faucaria tigrina*, eine fast stammlose Sukkulente. Das Blattpaar sieht wie ein winziger Rachen aus. Pflegeleicht. Siehe Seite 83.

Ganz oben: Von *Ferocactus acanthodes* blühen gewöhnlich nur große Pflanzen, aber auch die farbigen Stacheln sind wunderschön. Siehe Seite 84.

Oben: *Ferocactus horridus* besitzt zahlreiche Stacheln. Meist blühen nur größere Pflanzen. Nie zuviel gießen. Siehe Seite 85.

Rechts oben: *Ferocactus latispinus* blüht mit ziemlicher Wahrscheinlichkeit, wenn er warm und sonnig gehalten wird. Siehe Seite 85.

Rechts unten: *Gasteria maculata* ist ideal für Wohnzimmer und Büro, braucht aber ziemlich viel Licht – keine pralle Sonne! – und darf nicht austrocknen. Siehe Seite 87.

Oben: *Gymnocalycium bruchii,* ein
kleiner, gedrungener Kaktus, der bald
eine reichblühende Gruppe bildet.
Wird in Katalogen manchmal als *G.
lafaldense* aufgeführt. Siehe Seite 90.

Rechts: Die leuchtend gelben Blüten
von *Gymnocalycium andreae* sind für
Gymnocalycium-Arten ungewöhnlich.
Ein einzelner Stamm bildet bald
Ableger, so daß in Kürze eine Gruppe
entsteht. Siehe Seite 89.

Links außen: *Glottiphyllum linguiforme,* eine recht attraktive Pflanze mit paarigen, sehr fleischigen Blättern und herrlichen Blüten. Braucht viel Licht und muß maßvoll gegossen werden: Bei zuwenig Wasser verschrumpeln die Blätter, bei zuviel treiben sie auf. Siehe Seite 88.

Links: Bei *Gymnocalycium denudatum* sind über die ganze Oberfläche Büschel kurzer, gespreizter Stacheln verteilt, der Kaktus wird deshalb manchmal »Spinnenkaktus« genannt. Im Frühling und Sommer erscheinen zahlreiche Blüten, die meist mehrere Tage halten. Manchmal entstehen auch Samenkapseln. Siehe Seite 90.

Unten: *Gymnocalycium horridispinum* ist wegen der ungewöhnlichen Farbe der Blüten selbst in dieser Gattung schöner Pflanzen einmalig. Er braucht, wie die meisten reichblühenden Wüstenkakteen, eine kühle, trockene Winterruhe, wenn er im nächsten Jahr schön blühen soll. Siehe Seite 91.

Oben: *Gymnocalycium mihanovichii* 'Hibotan', eine Neuzüchtung, die gepfropft werden muß, da sie kein nährstofferzeugendes Chlorophyll besitzt. Nie zu großer Kälte aussetzen. Siehe Seite 91.

Rechts oben: *Haworthia maughanii*, eine etwas ungewöhnliche Haworthie mit abgeflachten Blattspitzen, die durchscheinende »Fenster« besitzen, damit Licht zu dem inneren Gewebe dringen kann. In freier Natur liegen nur die Spitzen frei. Siehe Seite 94.

Rechts außen: Die Hauptattraktion von *Huernia zebrina* sind die für eine so kleine Pflanze recht großen Blüten. Sie sehen höchst seltsam aus und haben einen schwachen, unangenehmen Geruch. Siehe Seite 95.

Rechts: *Haworthia attenuata* eignet sich wie alle Arten der Gattung *Haworthia* gut als Zimmerpflanze, da sie gern etwas schattig steht. Siehe Seite 93.

Oben: *Kalanchoe daigremontiana* bildet an den Blatträndern reichlich winzige »Kindel«. Eine große, ausgewachsene Pflanze ist recht eindrucksvoll. Sparrig gewordene Pflanzen ersetzt man am besten durch neue Jungpflanzen. Siehe Seite 96.

Rechts: *Kalanchoe blossfeldiana,* eine bekannte Zimmerpflanze, die an den verdickten Blättern als Sukkulente zu erkennen ist. Trägt im Winter und Frühling zahlreiche leuchtende Blüten. Siehe Seite 95.

Unten: *Kalanchoe pumila,* eine sehr reich blühende kleine Sukkulente mit mehlig überzogenen, perlgrauen Blättern. Die Pflanze bekommt mit der Zeit wegen der dünnen Stiele einen mehr kriechenden Wuchs und eignet sich daher sehr gut für einen Hängekorb. Siehe Seite 96.

Links: »Lebende Steine« sind extreme Sukkulenten. Jeder Kopf besteht aus einem Paar Blätter ohne Stamm. *Lithops aucampiae* ist eine der größeren Arten. Im Herbst erscheinen zwischen den Blättern gelbe Blüten. Braucht eine gute, poröse Erdmischung. Vorsicht beim Gießen! Siehe Seite 113.

Links unten: Auf dem Bild sieht man, wie bei *Lithops* die Blüte zwischen den Blättern hervorkommt. Die Blüten sind entweder gelb oder weiß. *Lithops bella* ist leicht duftend. Die durchscheinenden »Fenster« auf der Oberfläche der abgeflachten Blätter, die in der Natur mit dem Erdboden gleich sind, lassen Licht ins Innere der Pflanze dringen. Siehe Seite 114.

Unten: Inmitten von Steinen ist *Lithops marmorata*, wenn sie nicht blüht, schwer zu finden. Ab Spätherbst hört man mit dem Gießen auf und beginnt erst wieder im Frühjahr zu gießen, wenn die alten Blätter völlig verschrumpelt sind. Aus ihnen entwickeln sich neue. Siehe Seite 115.

Oben: *Lobivia famatimensis,* ein reizender kleiner Kaktus, der als Einzelstamm anfängt, jedoch bald am Grunde Ableger bildet, so daß eine Gruppe entsteht. Die Blütenfarbe variiert von Gelb bis Rot. Siehe Seite 116.

Links oben: *Lobivia backebergii* ist wegen ihrer großen, leuchtenden Blüten ein Schaustück jeder Sammlung. Die Pflanze hat meist nur einen, fast kugeligen Stamm, bildet manchmal aber am Grunde Ableger. Sehr pflegeleicht. Siehe Seite 115.

Links: *Mammillaria bocasana* ist wegen der rundlichen, seidigen Köpfe und der Pflegeleichtigkeit sehr beliebt. Aber Vorsicht! Unter der Seide verbergen sich gebogene Stacheln, an denen man leicht mit der Kleidung hängenbleibt. Leicht aus Samen zu ziehen. Siehe Seite 117.

Oben: *Mammillaria bombycina*.
Abgesehen von den meist zahlreichen
Blüten liegt der Reiz der Mammillarien
in der großen Vielfalt der Formen und
der Bestachelung. *Mammillaria
bombycina* ist nicht sehr blühwillig,
wenigstens nicht in der Jugend. Siehe
Seite 117.

Rechts oben: *Mammillaria zeilmanniana,* eine der am reichsten
blühenden Mammillarien; die Blüten
können einen geschlossenen Kranz
bilden. Siehe Seite 119.

Rechts: *Mammillaria zeilmanniana* var.
alba, eine weißblühende Varietät der
vorigen Art. Siehe Seite 119.

Oben: Auf dem Scheitel von
Neoporteria mammillarioides
entspringen zahlreiche Blüten, die
wochenlang halten können. Um Blüten
anzusetzen, benötigt der Kaktus eine
kalte Winterruhe. Siehe Seite 121.

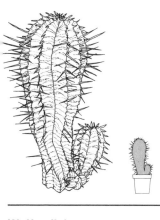
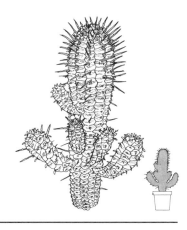

Wolfsmilch
Euphorbia horrida
Wolfsmilchgewächse
(Euphorbiaceae)

5–30° C
Pralle Sonne
Im Winter trocken halten

Heimat: Südafrika
Kugeliger bis säulenförmiger
graugrüner Stamm. Wird in der Heimat
recht groß. In Kultur wird *E. horrida*
kaum höher als 30 und kaum dicker als
15 cm. Scharf gerippt und mit kräftigen
Dornen versehen. Scheinblüten. Es
gibt männliche und weibliche Pflanzen.
Haltung: Als Substrat Kakteenerde
verwenden. Im Winter nur wenig
gießen.
Vermehrung: Läßt sich aus Samen
vermehren – dazu braucht man jedoch
zwei Pflanzen verschiedenen
Geschlechts – oder aus Stecklingen.
Man schneidet die Stecklinge mit
einem scharfen Messer ab. Der
herausquellende Milchsaft wird durch
Einstecken in Holzkohlepulver
gestoppt. Den Steckling vor dem
Einpflanzen eine Woche trocknen
lassen.
Bemerkung: Der giftige Milchsaft darf
nicht in Augen oder Mund kommen!
(Bild Seite 46, 47)

Wolfsmilch
Euphorbia mammillaris var.
variegata
Wolfsmilchgewächse
(Euphorbiaceae)

5–30° C
Pralle Sonne
Im Winter trocken halten

Herkunft: Bunte Zuchtform der
reizenden kleinen *E. mammillaris* aus
dem westlichen Kapland. Wird ca. 20
cm hoch und 5 cm dick. Wird mehr
wegen ihrer Gestalt und Färbung
gepflegt als wegen der unscheinbaren
Blüten. Verzweigt sich stark, so daß
bald ein kleiner Strauch mit tief
gerippten, weißbunten Stämmen
entsteht, auf denen die stumpfen
Dornen in Bändern angeordnet sind.
Haltung: Gedeiht am besten in gut
entwässernder Kakteenerde. Bei guter
Drainage im Frühjahr und Sommer
freigiebig gießen.
Vermehrung: Durch Stecklinge. Es
wäre schade, das Aussehen der
Pflanze zu zerstören, aber manchmal
steht ein Zweig schlecht, so daß man
ihn abnehmen kann. Man wäscht den
klebrigen Milchsaft ab, läßt den Zweig
eine Woche trocknen und pflanzt ihn
ein.
Bemerkung: Der giftige Milchsaft darf
nicht in Augen oder Mund kommen!
(Bild Seite 47)

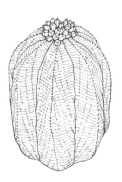

Christusdorn
Euphorbia milii var. *splendens*
Wolfsmilchgewächse
(Euphorbiaceae)

10–30° C
Pralle Sonne
Im Winter leicht feucht halten

Heimat: Tropisches Mexiko,
Mittelamerika
Kleiner, nur wenig sukkulenter
Strauch, reizvoll wegen der im Frühjahr
und Sommer reichlich sprießenden
Blütenstände. Scheinblüten etwa
1,5 cm groß, sehen aus wie eine
einzige Blüte, bestehen aber aus zwei
leuchtend roten Deckblättern,
zwischen denen eine von fünf
Gruppen männlicher Blüten umge-
bene, weibliche Blüte sitzt. Es gibt
auch eine gelbe Varietät.
Haltung: Beliebte Zimmerpflanze, die
im Winter an einem hellen Wohnzimmerfenster besser gedeiht als im meist
kühleren Gewächshaus, wo sie mit
Sicherheit die langen Blätter verliert.
Als Substrat Einheitserde verwenden.
Im Frühjahr und Sommer reichlich
gießen. Im Winter vor Zugluft
schützen. Durch Zurückschneiden
erzielt man einen buschigeren Wuchs.
Vermehrung: Im Frühjahr oder
Sommer durch Stecklinge, die man vor
dem Einpflanzen einige Tage
antrocknen läßt.
Bemerkung: Milchsaft ist giftig!
(Bild Seite 48)

Kugelwolfsmilch
Euphorbia obesa
Wolfsmilchgewächse
(Euphorbiaceae)

5–30° C
Pralle Sonne
Im Winter trocken halten

Heimat: Südafrika
Echte Sukkulente mit höchst
eigenartigem, dornen- und blattlosem,
graugrünem, blaßviolett gezeichnetem
Stamm. In der Jugend fast eine Kugel
(bis zu 7 cm Durchmesser) mit acht
flachen Rippen, mit der Zeit aber mehr
in die Höhe wachsend. Bildet weder
Ableger noch Zweige. Auf dem
Scheitel der Pflanze entspringen
winzige, zart duftende Scheinblüten.
Haltung: Hat meist eine lange
Pfahlwurzel, braucht also einen recht
tiefen Topf. Gedeiht in einer gut
entwässernden Kakteenerde. Nur im
Frühjahr und Sommer gießen.
Vermehrung: Nur durch Samen.
Dazu braucht man zwei Pflanzen
verschiedenen Geschlechts. Nach der
Bestäubung entstehen aus den
weiblichen Blüten Samenkapseln.
(Bild Seite 65)

Wolfsmilch
Euphorbia resinifera
Wolfsmilchgewächse
(Euphorbiaceae)

5–30° C
Pralle Sonne
Im Winter trocken halten

Heimat: Südwestliches Marokko
Reich verzweigter Strauch mit bis zu
30 cm hohen, hell graugrünen,
vierkantigen Stämmen; an den Kanten
stehen paarweise kurze Dornen.
Kultivierte Pflanzen blühen selten oder
nie; Blüten winzig und unscheinbar.
Haltung: Gedeiht in einer gut
entwässernden Kakteenerde. Im
Frühjahr und Sommer recht freigiebig
gießen, dann bis zur Winterruhe die
Wassergabe nach und nach einschrän-
ken.
Vermehrung: Im Frühjahr und
Sommer kann man zur Vermehrung
Stämme abschneiden. Aus den
Schnittflächen quillt reichlich weißer
Milchsaft; man wäscht ihn mit Wasser
ab und läßt den Steckling eine Woche
trocknen.
Bemerkung: Der giftige Milchsaft darf
nicht in Augen oder Mund kommen!
(Bild Seite 48)

Tigermaul
Faucaria tigrina
Eiskrautgewächse
(Mesembryanthemaceae)

5–30° C
Pralle Sonne
Im Winter fast trocken halten

Heimat: Südafrika (Kapland)
Hübsche, niedrige Pflanze mit dicht
stehenden, gezähnten, sukkulenten
Blättern; diese sind graugrün mit
winzigen weißen Punkten. Im Herbst
erscheinen große, goldgelbe Blüten,
die sich bei sonnigem Wetter
nachmittags öffnen und abends
schließen. Mit der Zeit entwickeln
Faucarien einen deutlichen holzigen
Stamm.
Haltung: Pflegeleicht, geeignet für ein
sonniges Fensterbrett oder Gewächshaus. Gedeiht in gut entwässernder
Kakteenerde. Im Sommer reichlich
gießen. Wird leicht zu groß, wenn sie
zuviel Wasser bekommt. Braucht nur
alle drei Jahre umgetopft zu werden.
Vermehrung: Im Spätfrühling
schneidet man die Köpfe mit ca.
0,5 cm Stamm daran ab, trocknet sie
einen Tag und pflanzt sie ein.
(Bild Seite 65)

Fensterblatt
Fenestraria arantiaca
Eiskrautgewächse
(Mesembryanthemaceae)

5–30° C
Pralle Sonne
Im Winter völlig trocken halten

Heimat: Südwestafrika
Die Pflanze besteht aus einer kleinen Gruppe graugrüner, ca. 2,5 cm langer, zylindrischer Blätter, deren abgeflachtes Ende ein durchscheinendes »Fenster« darstellt. In den Wüsten ihrer Heimat sind die Pflanzen bis auf die »Fenster« im Boden eingegraben. Kultivierte Pflanzen stehen ganz über der Erde, einmal wegen des schwächeren Lichtes und dann, um Fäulnis zu vermeiden. Die kräftige Pflanze füllt bald die Schale aus. Die Wachstumsperiode geht vom zeitigen Frühjahr den ganzen Sommer hindurch. Im Sommer erscheinen braun- bis rötlichgelbe (bei *F. a.* f. *rhopaloides* weiße) Blüten, die sich in der Sonne öffnen und abends schließen.
Haltung: Braucht sandigen Boden. Im Frühjahr und Sommer reichlich gießen, aber zwischendurch austrocknen lassen; im Herbst und Winter völlig trocken halten. Braucht nicht jedes Jahr umgetopft zu werden; beim Umtopfen dürfen die Wurzeln nicht gestört werden.
Vermehrung: Im Frühsommer die Köpfe abnehmen oder durch Samen.

Teufelsnadelkissen, Ferokaktus
Ferocactus acanthodes
Kakteen (Cactaceae)

5–30° C
Pralle Sonne
Im Winter trocken halten

Heimat: Kalifornien und nördliches Mexiko
Die Arten der Gattung *Ferocacatus* sind mit zahlreichen kräftigen, spitzen Stacheln bewehrt. *F. acanthodes* ist in der Jugend kugelförmig, wird aber mit zunehmendem Alter zylindrisch. Die zahlreichen Rippen tragen bis zu 4 cm lange, zum Teil gebogene rötliche Stacheln. Kann im Topf über 15 cm dick werden, wächst aber sehr langsam. Kleine Pflanzen blühen meist nicht. Blüten rötlich-gelb.
Haltung: Diese Kakteen sind besonders empfindlich gegen Lichtmangel und zuviel Wasser; sie müssen so viel Sonne bekommen wie irgend möglich. Wegen der besseren Entwässerung verwendet man als Substrat Kakteenerde. Am besten gießt man nur, wenn die Erde fast ausgetrocknet ist. Eine Deckschicht Kies hält die Basis der Pflanze trocken. Tropfwasser im Gewächshaus kann verhängnisvoll sein.
(Bild Seite 66)

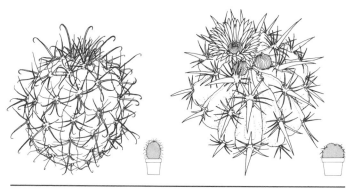

Ferokaktus	**Teufelszunge**
Ferocactus horridus	*Ferocactus latispinus*
Kakteen (Cactaceae)	Kakteen (Cactaceae)

5–30° C
Pralle Sonne
Im Winter völlig trocken halten

5–30° C
Pralle Sonne
Im Winter trocken halten

Heimat: Nordmexiko und südwestliche USA
Fast kugelrunder Stamm, der in ca. 12 Rippen geteilt ist, auf denen Gruppen bis zu 5 cm langer, sehr kräftiger, rötlicher Stacheln stehen; der längste in jeder Gruppe ist abgeflacht und hat an der Spitze einen Haken. Wird in Kultur selten dicker als 20 cm. Die Blüten sind gelb; kleine Pflanzen blühen kaum.
Haltung: Als Substrat verwendet man gut entwässernde Kakteenerde. Damit sie nicht zu naß wird, gießt man am besten nur an sonnigen Sommertagen. Wenn die Pflanze die Wurzel verliert, schneidet man sie bis auf das gesunde Gewebe zurück und läßt sie vor dem Wiedereinpflanzen ein paar Tage austrocknen. Bei der Behandlung wickelt man die Pflanze dick in Zeitungspapier ein.
Bemerkung: An den gebogenen Stacheln bleibt man leicht mit der Kleidung hängen und reißt die Pflanze vom Gestell.
(Bild Seite 66)

Heimat: Nordmexiko und südwestliche USA
Wohl der bekannteste und empfehlenswerteste *Ferocactus*. Während die anderen meist sehr groß werden müssen, ehe sie blühen, trägt diese Art schon Blüten, wenn die Pflanze erst ca. 10 cm dick ist. Die 4 cm breiten, wunderschön purpurroten Blüten öffnen sich nacheinander vom Herbst bis zum Frühwinter – freilich nur, wenn der Herbst warm und sonnig ist. Die tief eingekerbten Rippen des leuchtend grünen Stammes tragen Reihen kräftiger, sattgelber Stacheln, von denen einige abgeflacht sind und rote Spitzen haben. Die blühende Pflanze bietet insgesamt einen prächtigen Anblick.
Haltung: An den sonnigsten Platz stellen. Wie bei den anderen *Ferocactus*-Arten ist gute Entwässerung lebenswichtig; stauende Nässe kann tödlich sein; daher gut durchlässige Kakteenerde verwenden.
Bekommt bei hoher Luftfeuchtigkeit und niedrigen Temperaturen orangerote Flecken.
(Bild Seite 67)

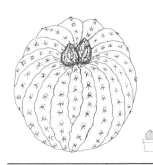 

Frailea
Frailea castanea
Kakteen (Cactaceae)

5–30° C
Pralle Sonne
Im Winter trocken halten

Heimat: Südbrasilien
Echter Zwergkaktus; eine große
Pflanze hat nur ca. 4 cm Durchmesser
und ist fast kugelrund. Sieht aus wie
eine Miniaturausgabe von *Astrophytum
asterias*, ist allerdings gräulich
bronzefarben gefärbt. Der leicht
abgeflachte Stamm ist durch
zahlreiche stumpfe Rippen gegliedert;
die Büschel winziger Stacheln dienen
mehr zur Zierde als zur Drohung. Blüht
reichlich im Frühjahr und Sommer. Die
Blüten bestäuben sich meist selbst,
ohne sich zu öffnen (Kleistogamie).
Manchmal öffnen sich jedoch die
gelblichen Blüten an einem wirklich
sonnigen Tag normal.
Haltung: Als Substrat verwendet man
Kaktuserde. Eine Deckschicht aus
Kies schützt die Basis der Pflanze.
Wegen ihrer geringen Größe braucht
der Topf kaum je mehr als 5 cm
Durchmesser zu haben. Ein sehr
kleiner Topf trocknet natürlich schnell
aus.
Bemerkung: Hieß früher *F. asterioi-
des.*

Frailea
Frailea knippeliana
Kakteen (Cactaceae)

5–30° C
Pralle Sonne
Im Winter trocken halten

Heimat: Paraguay
Es gibt zwei Typen von Fraileen, der
eine mit kugeligem, der andere mit
mehr säulenartigem Stamm. *F.
knippeliana* gehört zum zweiten Typ.
Der leuchtend grüne Stamm ist nur ca.
4 cm hoch und 2,5 cm dick und bildet
normalerweise keine Ableger. Die
hübsch rot und gelb gezeichneten
Blüten können sich selbst bestäuben
und öffnen sich nur in der prallen
Sonne.
Haltung: Wegen ihrer geringen Größe
sind Fraileen ideal für den kleinsten
Platz auf dem Fensterbrett oder dem
Gestell im Gewächshaus. Als Substrat
kann man Einheitserde verwenden,
wegen der größeren Durchlässigkeit
ist Kakteenerde jedoch vorzuziehen.
Im Frühjahr und Sommer reichlich
gießen, zum Herbst hin das Gießen zur
Vorbereitung auf die Winterruhe
einschränken. Vor feuchter Kälte
schützen.

Bitterbauch, Gasterie
Gasteria batesiana
Liliengewächse (Liliaceae)

5–30° C
Halbschatten
Im Winter leicht feucht halten

Heimat: Südafrika
Sehr dicke, dreikantige Blätter bilden
eine kräftige Rosette. Die olivgrünen
Blätter sind mit weißen Pocken
besetzt. Die in lockeren Trauben
stehenden kleinen, rosaroten Blüten
sitzen an einem verlängerten Schaft.
Haltung: Gasterien benötigen weniger
Licht als andere Sukkulenten und
eignen sich daher ideal als Zimmerpflanzen oder für den Platz unter dem
Gestell im Gewächshaus, der sonst
nicht leicht zu nutzen ist. Vor praller
Sonne schützen, sonst kann die grüne
Farbe einen ungesunden rötlichen Ton
bekommen. Gasterien brauchen eine
kräftige, gut entwässernde Erde. Im
Frühjahr und Sommer reichlich gießen,
zum Winter hin weniger.
Vermehrung: Durch Ableger. Oft
haben sie schon Wurzeln; man braucht
sie nur einfach abzureißen und
einzupflanzen. Eine gut aussehende
Gruppe sollte man nicht verschandeln,
aber manchmal muß man ein paar
Ableger entfernen, damit sie nicht zu
groß wird.
Schädlinge: Wolläuse siedeln sich
manchmal zwischen den Blättern an.

Gasterie
Gasteria maculata
Liliengewächse (Liliaceae)

5–30° C
Halbschatten
Im Winter leicht feucht halten

Heimat: Südafrika
Die abgeflachten, ca. 15 cm langen
und 4 cm breiten Blätter sind glänzend
grün mit weißen Flecken oder
Bändern. Sie bilden keine Rosette,
sondern stehen – zumindest bei
jüngeren Pflanzen – in zwei Reihen.
Bildet reichlich Ableger, so daß bald
eine Gruppe entsteht.
Haltung: Wohl die beliebteste
Gasterie, häufig an Zimmer- und
Bürofenstern zu sehen, an denen sie
ihre Fähigkeit beweist, unter
ungünstigen Bedingungen zu
überleben. Eine der pflegeleichtesten
Sukkulenten, wird aber allzuoft
schlecht behandelt. Nahrhafte Erde
und im Frühjahr und Sommer reichlich
Wasser werden mit besonders gutem
Wachstum belohnt. Nicht in die pralle
Sonne oder in eine dunkle Ecke
stellen. Kann im Sommer im Freien
stehen. Im Winter nicht unter 5° C
halten! Fühlt sich bei höheren
Temperaturen und größerer Feuchtigkeit im Wohnzimmer oder in der Küche
wohler.
Vermehrung: Durch Teilen größerer
Gruppen.
(Bild Seite 67)

Zungenblatt
Glottiphyllum arrectum
Eiskrautgewächse
(Mesembryanthemaceae)

5–30° C
Pralle Sonne
Nie zuviel gießen

Heimat: Südafrika
Pflanze mit zwei bis drei Paar 5 cm
langer, halbzylinderförmiger,
hellgrüner Blätter, die sich im Sommer
hübsch violett färben. Die leuchtend
goldgelben, 7 cm breiten Blüten
erscheinen im Frühwinter. Sie öffnen
sich am Spätnachmittag bei Sonnenschein mehrere Tage hintereinander
und schließen sich am Abend.
Haltung: Diese Pflanzen sind
pflegeleicht, dürfen aber nicht zuviel
Wasser bekommen, sonst saugen sie
sich voll und werden aufgedunsen.
Man vermeidet eine Überwässerung,
wenn man das Pflanzsubstrat durch
Kies ersetzt. Alle drei bis vier Jahre
umtopfen. In der Wachstumsperiode
(Spätsommer bis Spätherbst) gut
gießen, jedoch zwischen den
einzelnen Wassergaben jedesmal
austrocknen lassen. In der übrigen Zeit
trocken halten. Braucht einen sehr
hellen Platz.
Vermehrung: Zur Vermehrung kann
man die Seitentriebe abnehmen.

Zungenblatt
Glottiphyllum linguiforme
Eiskrautgewächse
(Mesembryanthemaceae)

5–30° C
Pralle Sonne
Sehr vorsichtig gießen

Heimat: Südafrika
Diese Art hat zwei Reihen breiter,
schaufelförmiger, 5 cm langer,
glänzend hellgrüner Blätter. Blüht im
Spätherbst oder Frühwinter. Wie bei
vielen südafrikanischen Sukkulenten
öffnen sich die leuchtend gelben
Blüten an sonnigen Tagen und
schließen sich am Abend.
Haltung: Als Substrat Kakteenerde
verwenden. Alle drei oder vier Jahre
umtopfen. Im Spätsommer und Herbst
an sonnigen Tagen gießen und vor
jedem neuen Bewässern austrocknen
lassen. Die Pflanze saugt jede Menge
Wasser auf, schwillt dabei aber sehr
stark an und wird unschön. Braucht
einen sonnigen Platz.
Vermehrung: Durch Seitentriebe, die
man im Spätsommer zur Vermehrung
abnehmen kann.
Schädlinge: Wolläuse siedeln sich
gern zwischen den Blättern an.
(Bild Seite 68)

 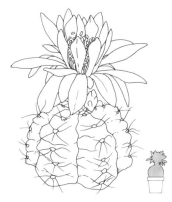

Gymnocalycium
Gymnocalycium andreae
Kakteen (Cactaceae)

5–30° C
Pralle Sonne
Im Winter trocken halten

Heimat: Córdoba (Argentinien)
Klein bleibende, flach kugelige Art, die
am Grunde reich sproßt und mit der
Zeit eine kleine Gruppe bildet.
Stacheln braunschwarz, kurz; einige
sind krumm. Blüht sehr reich. Die ca.
3 cm breiten, im Frühjahr und Sommer
erscheinenden Blüten sind leuchtend
gelb – eine ungewöhnliche Farbe für
Gymnocalycien, die meist weiße oder
grünlichweiße Blüten haben. Die
Hauptpflanze bildet bald Ableger;
wenn man sie beläßt, entsteht
schließlich ein rundlicher Haufen
wunderschön blühender Köpfe.
Haltung: Braucht pralle Sonne und gut
entwässernde Erde (Kakteenerde). Im
späten Frühjahr und Sommer reichlich
gießen, aber erst, wenn die Erde fast
trocken ist.
Vermehrung: Durch Abnehmen der
jungen Sprosse.
Schädlinge: Auf Wolläuse achten.
(Bild Seite 68)

Gymnocalycium
Gymnocalycium baldianum
Kakteen (Cactaceae)

5–30° C
Pralle Sonne
Im Winter trocken halten

Heimat: Nordargentinien, Uruguay
Hell- bis blaugrüne, flache Kugel von
ca. 7 cm Durchmesser, die selten
Ableger bildet. Die schön gerundeten
Rippen zeigen die für Gymnocalycien
typischen Kerben bzw. Höcker. Gut
gepflegte Pflanzen bringen im Frühjahr
und Sommer wunderschöne, ca. 4 cm
breite, leuchtend rote oder rosafarbene
Blüten hervor.
Haltung: Entwickelt sich, wie die
meisten Kakteen, am besten im
Gewächshaus, kann aber ohne
weiteres auf einem sonnigen
Fensterbrett gehalten und zum Blühen
gebracht werden. Braucht eine gut
entwässernde Erde. Im Frühjahr und
Sommer alle zwei Wochen mit
Tomatendünger düngen. Vor feuchter
Kälte schützen.
Bemerkung: Wird in Katalogen
manchmal noch unter dem alten
Namen *G. venturianum* geführt.

Gymnocalycium
Gymnocalycium bruchii
Kakteen (Cactaceae)

Spinnenkaktus
Gymnocalycium denudatum
Kakteen (Cactaceae)

5–30° C
Pralle Sonne
Im Winter trocken halten

5–30° C
Pralle Sonne
Im Winter trocken halten

Heimat: Nordargentinien
Kleiner Kaktus, leicht erhältlich und
vielleicht der schönste in einer
wunderschönen Gattung. Bildet bald
eine kleine, gedrungene Gruppe
schmuck bestachelter, rundlicher
Köpfe, die sehr reichlich rosa Blüten
hervorbringt. Am besten beläßt man
die Gruppe.
Haltung: Als Substrat Kakteenerde
verwenden. Im Frühjahr und Sommer
reichlich gießen und etwa alle zwei
Wochen düngen.
Vermehrung: Manchmal drängen sich
die Köpfe so zusammen, daß man ein
paar abnehmen kann, um Platz für die
anderen zu schaffen. Man schneidet
sie im späten Frühjahr und Sommer
sorgfältig mit einem scharfen Messer
ab, läßt sie ein paar Tage abtrocknen
und steckt sie in frische Erde.
Schädlinge: Wolläuse verbergen sich
zwischen den Köpfen.
Bemerkung: Heißt manchmal *G.
lafaldense*.
(Bild Seite 68)

Heimat: Südbrasilien
Fast kugelförmiger Kaktus; wird bis ca.
15 cm dick und 10 cm hoch. Der
sattgrüne Stamm ist breit gerippt; die
Höcker auf den Rippen wirken typisch
kinnartig, wenn auch weniger als bei
anderen Arten. Die kurzen, dicht
anliegenden gelben Stacheln
erwecken den Eindruck, als krabbelten
kleine Spinnen auf der Pflanze herum.
Wirkt im Frühjahr und Sommer noch
attraktiver durch die wunderschönen,
ca. 5 cm breiten, grünlich-weißen oder
rosa Blüten.
Haltung: Als Substrat Kakteenerde
verwenden. Während der Zeit der
Knospenbildung und der Blüte
gelegentlich mit Tomatendünger
düngen. Winterliche Trockenruhe
einhalten.
(Bild Seite 69)

Gymnocalycium
Gymnocalycium horridi-spinum
Kakteen (Cactaceae)

5–30° C
Pralle Sonne
Im Winter trocken halten

Heimat: Südliches Südamerika
Einer der Reize der Gymnocalycien ist die Vielfalt der Formen, Stacheln und Blüten. Diese Art ist besonders schön, wenn auch weniger typisch für die Gattung, da sie mehr säulen- als kugelförmig ist. Eine durchschnittliche Pflanze ist ca. 13 cm hoch und 8 cm dick. Die großen rosafarbenen Blüten werden bis 6 cm breit. Trotz ihrer Größe blühen manchmal drei bis vier gleichzeitig, und sie können bis zu einer Woche halten. Die Rippen des hellgrünen Stammes weisen deutliche Höcker auf, die kräftige, gespreizte, ca. 3 cm lange Stacheln tragen.
Haltung: Als Substrat gut durchlässige Kakteenerde verwenden. Im Frühjahr und Sommer gelegentlich düngen. Keine stauende Nässe aufkommen lassen. Im Sommer luftig und warm aufstellen.
(Bild Seite 69)

Gymnocalycium
Gymnocalycium mihanovichii f. *rubra* 'Hibotan'
Kakteen (Cactaceae)

10–30° C
Halbschatten
Im Winter ziemlich trocken halten

Heimat: *G. mihanovichii* stammt aus Paraguay. Die roten Formen wurden zuerst in Japan gezüchtet.
Der obere, rote Teil der Pflanze ist eine Zuchtform, die (da sie kein Chlorophyll enthält) stets auf eine grüne Unterlage gepfropft sein muß. Als Unterlage dient meist ein zarter Urwaldkaktus, *Hylocereus*, kenntlich an dem dreikantigen Stamm. Trägt manchmal reizende weiße oder rosafarbene Blüten.
Haltung: Ideale Zimmerpflanze. Wenn man im Winter nicht eine Temperatur von wenigstens 10° C einhalten kann, pfropft man sie besser auf eine widerstandsfähigere Unterlage, z. B. *Trichocereus*. Kakteenerde verwenden, nie zuviel gießen und nicht der prallen Sommersonne aussetzen.
(Bild Seite 70)

Gymnocalycium
Gymnocalycium guehlianum
Kakteen (Cactaceae)

2–30° C
Pralle Sonne
Im Winter trocken halten

Heimat: Córdoba (Argentinien)
Abgeflachte, ca. 10 cm dicke und 6 cm
hohe, blau-grüne Kugel mit tief
eingeschnittenen, rundlichen Rippen
und deutlichen Höckern. Die
gelblichen, gebogenen Stacheln sind
ganz kurz. Selbst kleine Pflanzen
tragen zahlreiche, bis 6 cm breite,
glänzend weiße, innen rosafarbene
Blüten. Die einzelne Blüte hält nur ein
bis zwei Tage, aber dieser schöne
Kaktus bringt im Frühjahr und Sommer
wochenlang hintereinander neue
hervor. Bildet selten Ableger.
Haltung: Ideal für Anfänger. Als
Substrat Einheitserde verwenden.
Vom Frühjahr bis zum Spätsommer
reichlich gießen; dabei darf sich nie
Wasser auf dem eingesenkten
Scheitel der Pflanze sammeln. Wenn
die Pflanze Knospen oder Blüten trägt,
alle zwei Wochen mit Tomatendünger
düngen.

Hakenkaktus
Hamatocactus setispinus
Kakteen (Cactaceae)

5–30° C
Pralle Sonne
Im Sommer reichlich gießen

Heimat: Mexiko und südwestliche
USA
Der frischgrüne, weichfleischige
Stamm ist 13rippig und trägt weiße
Areolen. Stacheln braun oder weiß.
Eine ausgewachsene Pflanze ist ca.
13 cm dick, aber schon 2,5 cm dicke
Pflanzen blühen. Die gelben Blüten mit
tiefrotem Schlund entspringen im
Sommer auf dem Scheitel der Pflanze.
Haltung: Dieser kleine Kaktus gedeiht
besonders gut in der Kultur. Als
Substrat Kakteenerde verwenden. Im
Sommer reichlich gießen, aber
zwischen jedem Gießen austrocknen
lassen. Im Winter trocken halten.
Braucht pralle Sonne, um die Bildung
von Blüten und von langen, kräftigen
Stacheln anzuregen. Sobald sich
Knospen zeigen, alle zwei Wochen mit
Tomatendünger düngen.

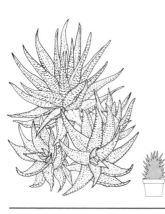

Haworthie
Haworthia attenuata
Liliengewächse (Liliaceae)

5–30° C
Halbschatten
Im Winter leicht feucht halten

Heimat: Süd- und Südwestafrika
Stammlose Rosette zäher dunkelgrü-
ner, bis 8 cm langer Blätter, die mit
weißen, anmutig glitzernden Warzen
besetzt sind. Langer, schlanker
Blütenstengel, der am Ende eine
lockere Traube aus winzigen, weißen
Glöckchen trägt. Alte Pflanzen
erzeugen Ableger.
Haltung: In der Heimat wachsen
Haworthien im Schatten höherer
Pflanzen, daher nie in die pralle Sonne
stellen. Wenn sie sehr hellem Licht
ausgesetzt werden, nehmen die
Blätter einen häßlichen Bronzeton an.
Im Gewächshaus gedeihen sie in
schattigen Ecken oder unter dem
Gestell, wo die meisten anderen
Sukkulenten wegen der schlechten
Belichtung die Form verlieren. Wegen
der Vorliebe für Halbschatten und der
geringen Größe sind sie ideale
Zimmerpflanzen. Diese Art wird in
einem halbhohen Topf in Einheitserde
gepflegt und jedes Jahr umgepflanzt.
Vermehrung: Durch Ableger.
(Bild Seite 70)

Haworthie
Haworthia margaritifera
Liliengewächse (Liliaceae)

5–30° C
Halbschatten
Im Winter leicht feucht halten

Heimat: Süd- und Südwestafrika
Stammlose Rosette (ca. 15 cm
Durchmesser) aus dunkelgrünen,
aufwärts gebogenen Blättern, die mit
erhabenen perlweißen Warzen
überzuckert sind. Die kleinen weißen
Blütenglöckchen stehen in einer
Traube auf einem langen, drahtigen
Stiel.
Haltung: Gedeiht am besten im
Halbschatten. Eignet sich gut für eine
schattige Ecke im Gewächshaus oder
als Zimmerpflanze. Gelegentlich den
Staub von den Blättern abwaschen. In
einem halbhohen Topf mit Einheitserde
halten.
Bemerkung: Haworthien wachsen
und blühen bis weit in den Winter
hinein und ruhen im Frühjahr. Sie
haben dicke, glänzend weiße Wurzeln;
während der Ruheperiode schrumpfen
sie ein, und es bilden sich neue. Es ist
also ganz natürlich, wenn man beim
Umtopfen im Frühsommer nur wenig
Wurzeln findet.

Haworthie
Haworthia maughanii
Liliengewächse (Liliaceae)

5–30° C
Gedämpftes Sonnenlicht
Vorsichtig gießen

Heimat: Süd- und Südwestafrika
Dunkelgrüne, ca. 2,5 cm lange,
halbzylinderförmige Blätter bilden eine
Rosette. Sie sehen aus, als habe man
die Spitzen abgeschnitten, und haben
an den Spitzen ein »Fenster«. In den
Wüsten der Heimat ist diese Pflanze
fast im Boden verborgen bis auf die
»Fenster«, durch die Licht in die
Pflanze gefiltert wird. In der Kultur
wachsen die Pflanzen jedoch über
dem Boden, damit sie nicht faulen.
Trägt im Frühwinter kleine weiße
Blütenglöckchen.
Haltung: Als Substrat gut durchlässige
Kakteenerde verwenden. Nie zuviel
gießen, und nach jedem Gießen
austrocknen lassen. Wächst sehr
langsam und begnügt sich viele Jahre
lang mit einem Topf von 7,5 cm
Durchmesser.
Bemerkung: Während der Ruhepause
schrumpfen die dicken, »kontraktilen«
Wurzeln ein und werden durch neue
ersetzt.
(Bild Seite 71)

Huernie
Huernia aspera
Seidenpflanzengewächse
(Asclepiadaceae)

5–30° C
Pralle Sonne
Im Winter fast trocken halten

Heimat: Afrika südlich der Sahara,
Südarabien
Diese schmucke kleine Sukkulente ist
mit den viel größeren Stapelien
verwandt. Der sich reich verzweigende, gerippte, hellgrüne Stamm wird
nur 8 cm hoch und 1,5 cm dick. Die
Rippen tragen weiche, braune Zähne,
aber keine Blätter. Die sehr fleischigen,
purpurroten Blüten bilden einen 2 cm
breiten, fünfzackigen Stern und haben
gar keinen oder wenig, leicht unangenehmen Geruch.
Haltung: Dies ist eine der pflegeleichtesten *Huernia*-Arten und äußerst
widerstandsfähig. Den Winter über im
Kalthaus unterzubringen. Erde gerade
so feucht halten, daß die Pflanze nicht
zu sehr einschrumpft. *H. aspera* eignet
sich auch gut für ein Fensterbrett im
Wohnzimmer. Verträgt kein Übermaß
an Feuchtigkeit; als Substrat gut
entwässernde Kakteenerde verwenden. Nicht gießen, sondern den Topf
ins Wasser tauchen und nach dem
Herausnehmen abtropfen lassen. Auf
guten Abfluß achten!
Bemerkung: Schwarze Flecken
deuten auf Fäulnis oder Pilzbefall hin.

Huernie
Huernia zebrina
Seidenpflanzengewächse
(Asclepiadaceae)

5–30° C
Pralle Sonne
Im Winter fast trocken halten

Heimat: Südwestafrika
Kleine Sukkulente mit einer aparten
Blüte von ca. 4 cm Durchmesser. Die
fünf auf gelbem Grund bräunlichviolett
gestreiften Kronblätter umgeben einen
dicken, violetten inneren Wulst. Der
schwache Geruch ist unangenehm,
wie bei den meisten *Stapelia*-Verwand-
ten. Die Pflanze selbst besteht aus
scharf gezähnten, kantigen, hellgrünen
Stämmen, die ca. 8 cm lang und 2 cm
dick sind.
Haltung: Als Substrat Kakteenerde
verwenden. Im Frühjahr und Sommer
reichlich gießen; im Winter nur so viel
gießen, daß starkes Einschrumpfen
verhindert wird.
Schädlinge: Wenn die Erde zu naß
wird, können Fäulnis und Pilzbefall
eintreten. Man erkennt dies daran, daß
die Stämme schwarze Flecken oder
Spitzen bekommen.
(Bild Seite 71)

Flammendes Käthchen
Kalanchoe blossfeldiana
Dickblattgewächse
(Crassulaceae)

10–27° C
Helles Licht
Im Winter leicht feucht halten

Heimat: Madagaskar
Eine bei Blumenfreunden beliebte
Pflanze, die es meist im Herbst und
Winter in voller Blüte zu kaufen gibt.
Kann bis zu 30 cm hoch werden, aber
die angebotenen Pflanzen sind meist
kleiner. Die breiten, fleischigen Blätter
sind hellgrün. In erster Linie eine
Blütenpflanze, die vom Herbst bis zum
Frühjahr Massen leuchtend roter
Blüten trägt. Die einzelnen Blüten sind
klein, aber da sie in dichten Büscheln
zusammenstehen, bieten sie ein
farbenprächtiges Bild. Es gibt
zahlreiche Hybriden und auch eine
gelbblütige Form.
Haltung: Zimmerpflanze, kann aber
auch im Gewächshaus gepflegt
werden. Pflegeleicht. Nie ganz
austrocknen lassen, aber auch nicht zu
stark gießen, da die Stiele leicht
abfaulen; zur besseren Entwässerung
Kakteenerde verwenden. In der prallen
Sommersonne können die Blätter
verbrennen. Nicht unter 10° C halten.
Vermehrung: Im Frühjahr Stecklinge
abnehmen und sofort einpflanzen.
(Bild Seite 72)

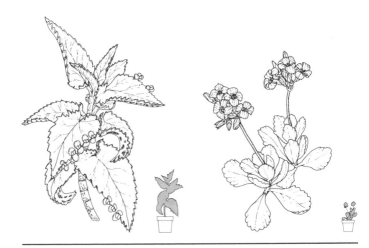

Brutblatt
Kalanchoe daigremontiana
Dickblattgewächse
(Crassulaceae)

10–27° C
Pralle Sonne
Im Winter leicht feucht halten

Heimat: Madagaskar
Kann 60 cm hoch werden. Ganz
verschieden von der vorigen Art; wird
weniger wegen der unscheinbaren
Blüten als wegen der attraktiven Blätter
gepflegt, die grün und braun
marmoriert, pfeilförmig und bis 10 cm
lang sind. In den Kerben der
Blattränder bilden sich Brutknospen,
die sich bewurzeln. Wenn sie auf die
Erde fallen, entwickeln sie sich zu
neuen Pflanzen. Bald wächst in jedem
benachbarten Topf ein Brutblatt neben
dem ursprünglichen Bewohner.
Haltung: Gedeiht in Einheitserde. Im
Frühjahr und Sommer recht freigebig
gießen. Luftig und sonnig aufstellen.
Vermehrung: Mühelos durch die
Brutknospen.
Bemerkung: Hieß früher *Bryophyllum
daigremontianum.*
(Bild Seite 72)

Kalanchoë
Kalanchoe pumila
Dickblattgewächse (Crassula-
ceae)

5–27° C
Pralle Sonne
Im Winter leicht feucht halten

Heimat: Madagaskar
Wird nur ca. 15 cm hoch. Die
rötlich-grüne Grundfarbe der leicht
verdickten Blätter wird fast völlig durch
einen mehligen, grauen Überzug
verdeckt, der der ganzen Pflanze ein
perlgraues Aussehen verleiht. Sehr
reichblühend; bringt im Frühjahr
Massen von dunkelrosa Blüten hervor.
Die nur ca. 2 cm breiten Einzelblüten
stehen in kleinen Gruppen auf ganz
kurzen Stielen.
Haltung: Ideal für einen Hängekorb an
einem hellen Fenster im Zimmer.
Pflanzgefäß mit gut durchfeuchtetem
Torfmoos oder grobem Torf auskleiden
und mit Einheitserde füllen. Kann
natürlich auch im Gewächshaus
gepflegt werden, wo sie dank ihrer
relativen Kälteverträglichkeit die
niedrigere Wintertemperatur
übersteht. Übersprühen kann Flecken
auf den Blättern hinterlassen.
(Bild Seite 72)

Oben: Die roten Blüten von *Notocactus haselbergii* bilden einen auffallenden Kontrast zu der weiß bestachelten

Kugel. Junge Pflanzen blühen normalerweise nicht. Siehe Seite 121.

Oben: *Notocactus leninghausii* mit
seinen goldenen Stacheln wird mehr
um seiner selbst willen gepflegt als
wegen der hübschen Blüten, die nur
von großen, alten Pflanzen hervorgebracht werden. Es lohnt sich aber, auf
sie zu warten, denn sie erhöhen die
Schönheit der Pflanze beträchtlich.
Siehe Seite 122.

Rechts oben: *Notocactus mammulosus,* ein besonders auffälliger
Notocactus mit langen, kräftigen
Stacheln. Blüht reichlich und setzt
tüchtig Samen an. Wie bei den meisten
reichblühenden Kakteen ist eine kalte
Winterruhe lebenswichtig. Unempfindlich, verträgt Temperaturen bis zur
Frostgrenze, wenn er völlig trocken
gehalten wird. Siehe Seite 123.

Rechts: *Notocactus herteri,* ein
rundlicher Kaktus mit dicht zusammen-
stehenden Stacheln. Er unterscheidet
sich von den anderen abgebildeten
Arten der Gattung durch die Farbe der
leuchtenden Blüten. Ziemlich
unempfindlich und pflegeleicht.
Braucht eine gut entwässernde Erde.
Siehe Seite 122.

Oben: *Notocactus ottonis*, ein kleiner Kugelkaktus, der schnell Polster bildet und große, leuchtende Blüten mit rotem Mittelpunkt trägt. Leicht durch Ableger zu vermehren. Siehe Seite 123.

Links außen: *Opuntia basilaris* blüht im Gegensatz zu den meisten anderen Feigenkakteen schon als ziemlich kleine Topfpflanze. Siehe Seite 124.

Links: *Opuntia robusta* ist in freier Natur ein Riese und trägt wunderschöne gelbe Blüten. Die kleinen Pflanzen einer Sammlung setzen kaum Blüten an. Siehe Seite 125.

Oben: Die Büschel der mit Widerhaken versehenen Stacheln oder Glochiden von *Opuntia microdasys* zeigen die gewöhnliche Färbung. Große Pflanzen können wuchern. Siehe Seite 124.

Links: *Opuntia microdasys* var. *albispina*, eine besonders attraktive Varietät mit weißen Glochiden. Siehe Seite 124.

Unten: *Opuntia microdasys* var. *rufida*, eine dritte Varietät mit kürzeren und dickeren, dunkelgrünen Gliedern, von denen sich die rötlichbraunen Glochiden sehr schön abheben. Siehe Seite 124.

Oben: Außer mit den typischen Glochiden sind bei *Opuntia scheerii* die Glieder mit einem Netzwerk goldfarbener Stacheln bedeckt. Wegen des gedrungenen Wuchses und der reichen Verzweigung ist diese Opuntie ideal für die Zimmer- oder Gewächshaushaltung. Sie bleibt auch viele Jahre lang klein genug. Durch Stecklinge leicht zu vermehren. Man nimmt einfach ein paar Glieder ab, läßt sie ein paar Tage trocknen, damit die Schnittfläche heilt, und pflanzt sie ein. Die beste Zeit zur Stecklingsvermehrung ist vom Spätfrühling bis zum Sommer, da sie sich in dieser Zeit schnell bewurzeln. Siehe Seite 126.

Rechts: *Opuntia spegazzinii,* eine der Opuntien mit zylindrischen Sproßgliedern, die weniger bekannt sind als die vom Feigenkaktustyp. Besonders beliebt, da man diese Opuntie in einem kleinen Topf leicht zum Blühen bringen kann, im Gegensatz zu den großwüchsigeren Opuntien. Die zylindrischen Sprosse haben einen leicht kriechenden Wuchs und benötigen eine Stütze. Man kann sie aber auch als Hängepflanze halten, muß aber aufpassen, daß niemand mit den Haaren daran hängenbleibt. Siehe Seite 126.

Rechts außen: Von *Opuntia pycnantha* darf man keine Blüten erwarten, da nur große, alte Pflanzen blühen; aber die Schönheit dieser Kaktee ist nicht von den Blüten abhängig – Gestalt und Stachelfarbe sind ausreichend. Siehe Seite 125.

Rechts: Mit seinen abstechenden Haaren und den kräftigen, spitzen Stacheln ist *Oreocereus celsianus* ein in jeder Hinsicht beeindruckender Kaktus. Er wächst verhältnismäßig langsam, kann nach Jahren aber eine stattliche Größe erreichen. Siehe Seite 127.

Unten: *Oroya subocculta* ist nicht leicht zu bekommen, aber der Mühe wert. Der Kaktus ist auch ohne Blüten sehr attraktiv. Blüten kann man nur von großen Pflanzen erwarten. Siehe Seite 127.

Oben: Bei *Pachypodium lamerei* trägt ein sehr sukkulenter, reich mit starren Stacheln bewaffneter Stamm am Ende lange, nichtsukkulente Blätter. Wenn der Stamm wächst, fallen die unteren Blätter ab, oben wachsen neue nach, so daß immer ein Blattschopf bleibt. Wenn die Pflanze im Winter alle Blätter verliert, ist dies ein Zeichen für einen zu kalten Standort. Braucht im Zimmer ein sonniges Fenster und muß gelegentlich gedreht werden. Siehe Seite 128.

Rechts: *Pachyphytum oviferum*, ein ausgezeichnetes Beispiel für eine Blattsukkulente. Die Blätter sehen aus wie glasierte Mandeln; sie haben einen mehligen, weißlichen Überzug, der sehr empfindlich ist. Man darf sie daher auf keinen Fall berühren, sonst wird die ursprüngliche Schönheit dieser attraktiven Sukkulente beeinträchtigt. Trägt im Frühling Büschel recht aparter Blüten. Wird, wie viele strauchige Sukkulenten, mit den Jahren leicht zu sparrig; dann ist es wahrscheinlich am besten, mit Stecklingen neu anzufangen. Siehe Seite 128.

Oben: *Parodia aureispina,* eine schmucke, goldfarbene Kugel, die reichlich leuchtend gelbe Blüten hervorbringt. Vorsicht beim Gießen, um Wurzelschwund zu verhüten. Siehe Seite 145.

Links: *Parodia microsperma* var. *gigantea,* eine rote Varietät der typischen *P. microsperma* mit gelben Blüten. Siehe Seite 145.

Rechts: Die typische gelbe Blüte von *Parodia microsperma* überschattet fast den elegant bestachelten Stamm. Vorsichtig gießen. Siehe Seite 145.

Oben: *Pereskia aculeata,* ein merkwürdiger, nichtsukkulenter Kaktus, der fast wie eine wilde Rose aussieht. Die Pflanze benötigt eine Stütze. Siehe Seite 146.

Prismenkaktus
Leuchtenbergia principis
Kakteen (Cactaceae)

10–30° C
Pralle Sonne
Im Winter trocken halten

Heimat: Nord- und Zentralmexiko
Diese seltsame Pflanze ist trotz der
bemerkenswerten Ähnlichkeit mit
einer Agave oder Aloe ein echter
Kaktus, der einzige Vertreter seiner
Gruppe. *L. principis* besitzt eine starke
Rübenwurzel. Die bis 10 cm langen,
wie Blätter aussehenden Warzen sind
ein Teil des Stammes; am Ende tragen
sie Gruppen von weichen, papierarti-
gen, gelben Stacheln. Die Warzen
entfalten sich bei Feuchtigkeit und
schließen sich bei Trockenheit. Die
wunderschön duftenden, gelben
Blüten sind 8 cm breit. Anscheinend
nicht sehr blühwillig; benötigt zum
Blühen möglichst viel pralle Sonne,
blüht im Zimmer wahrscheinlich nicht.
Haltung: Braucht einen tiefen Topf mit
lehmig-sandiger Erde. Sonnig halten.
Im Frühjahr und Sommer reichlich
gießen. Im Winter bei 10–12° C
trocken halten.
Vermehrung: Sehr leicht aus Samen
zu ziehen. Vermehrung soll auch
möglich sein, indem man Warzen
abschneidet, eine Zeitlang trocknet
und einpflanzt.

Lebende Steine
Lithops aucampiae
Eiskrautgewächse (Mesem-
bryanthemaceae)

5–30° C
Pralle Sonne
In der Ruhezeit trocken halten

Heimat: Süd- und Südwestafrika
Kleine, wie Steine aussehende
Pflanzen. *Lithops*-Arten bestehen aus
einem Paar oben abgeflachter,
fleischiger Blätter; der kurze Stamm ist
über der Erde nicht sichtbar, daher
werden sie oft als stammlos beschrie-
ben. *L. aucampiae* ist eine der
größeren Arten; die hübschen
hellbraunen, dunkler braun gefleckten
Blätter sind 2,5 cm breit. Die goldenen
Blüten entspringen im Frühherbst
zwischen den beiden Blättern.
Haltung: *Lithops*-Arten sind ideal für
ein kleineres Gewächshaus; eine
30×30 cm große Schale reicht für eine
große Sammlung. *L. aucampiae*
gedeiht in Kakteenerde. Den ganzen
Winter über trocken halten; erst
gießen, wenn die alten Blätter völlig
verschrumpft sind (meist Spätfrühling).
Nur an sonnigen Tagen gießen, im
Herbst nach und nach das Wässern
einschränken. Beim Gießen darf kein
Wasser auf die Blätter kommen, da
sonst Kalkflecken entstehen oder
Fäulnis eintritt.
(Bild Seite 74)

Lebende Steine
Lithops bella
Eiskrautgewächse
(Mesembryanthemaceae)

5–30° C
Pralle Sonne
In der Ruhezeit trocken halten

Heimat: Süd- und Südwestafrika
L. bella besitzt paarige, hellgraue
Blätter mit dunklerer Zeichnung.
Zwischen ihnen entspringen im
Frühherbst die weißen Blüten. Sie
öffnen sich an sonnigen Nachmittagen,
schließen sich abends und halten etwa
eine Woche. Diese Art bildet reizvolle
Gruppen. Wenn die alten Blätter im
Frühjahr verschrumpft sind, entdeckt
man in den alten Häuten je zwei neue.
Die Pflanze verdoppelt ihre Größe aber
nicht jedes Jahr; in manchen Jahren
entstehen keine neuen Blätter oder
vielleicht nur ein Paar in einer Gruppe.
Haltung: Nicht gießen, bevor die alten
Blätter – meist im Frühjahr – völlig
eingeschrumpft sind. Kakteenerde
verwenden. Nur alle drei Jahre
umtopfen. Braucht ein Höchstmaß an
Licht. In der Ruhezeit vor Feuchtigkeit
schützen.
Vermehrung: Zu groß gewordene
Gruppen kann man teilen, am besten
während der Wachstumsperiode im
Sommer.
(Bild Seite 74)

Lebende Steine
Lithops helmutii
Eiskrautgewächse
(Mesembryanthemaceae)

5–30° C
Pralle Sonne
Nur im Sommer gießen

Heimat: Süd- und Südwestafrika
Gruppenbildende Art. Jeder Kopf ist
ca. 3 cm breit und besteht aus einem
Paar dicker, scheinbar stammloser
Blätter; diese sind hellgrün mit grauer
Zeichnung und haben am Ende ein
großes »Fenster«. Die neuen Blätter
wachsen auf Kosten der alten. Blüht im
Frühherbst. Die goldgelben Blüten
sind 3 cm breit, so daß sie die Blätter
völlig verbergen. Sie öffnen sich an
sonnigen Nachmittagen, schließen
sich abends und halten etwa eine
Woche.
Haltung: *Lithops*-Arten haben eine
deutliche Ruhezeit, in der sie kein
Wasser bekommen dürfen. Erst wieder
gießen, wenn die alten Blätter völlig
eingeschrumpft sind. In der Wachstumszeit (Frühjahr bis Spätsommer) oft
gießen, zwischen den einzelnen
Wassergaben aber austrocknen
lassen. Als Substrat Kakteenerde
verwenden. Alle drei Jahre umtopfen.
Im Winter vor feuchter Luft schützen.

Lebende Steine
Lithops marmorata
Eiskrautgewächse
(Mesembryanthemaceae)

5–30° C
Pralle Sonne
Nur im Sommer gießen

Heimat: Süd- und Südwestafrika
Die Pflanze besteht aus einem Paar
fast stammloser, graugrüner Blätter mit
grauer oder gelblicher Zeichnung. Im
Frühjahr entspringt aus der Spalte
zwischen den Blättern eine große,
weiße Blüte, die die Pflanze völlig
verbirgt. Sie öffnet sich nachmittags
und schließt sich abends.
Haltung: Als Substrat Kakteenerde
verwenden, damit die Pflanze nicht
zuviel Wasser aufnimmt und zu groß
wird. Zwischen den einzelnen
Wassergaben austrocknen lassen.
Wenn die Blätter beim Gießen bespritzt
werden, bekommen sie Flecken. Muß
in praller Sonne stehen, da sich die
Blüten nur in der Sonne öffnen. *Lithops*
wirken am besten in einer Schale
inmitten von kleinen, ähnlich
gezeichneten Kieseln. Braucht nicht
jedes Jahr umgetopft zu werden.
Schädlinge: Die Hauptfeinde der
Lithops-Arten sind Woll- und
Wurzelläuse.
(Bild Seite 75)

Lobivia
Lobivia backebergii
Kakteen (Cactaceae)

5–30° C
Pralle Sonne
Im Winter trocken halten

Heimat: Die Lobivien stammen aus
den Anden von Südperu bis
Nordargentinien. Sie bilden eine
große, eng mit der Gattung *Echinopsis*
verwandte Gruppe.
L. backebergii ist in der Jugend fast
kugelrund, wird aber mit zunehmendem Alter eiförmiger; Durchmesser
5 cm. Manchmal bilden sich am
Grunde des hellgrünen, gerippten
Stammes Ableger. Auf den Rippen
stehen dunkle, gebogene, ca. 1,5 cm
lange Stacheln, die aber größer
werden können, wenn die Pflanze in
der prallen Sonne gehalten wird. Die
wunderschönen, ca. 4 cm breiten
Blüten sind karminrot mit bläulichem
Glanz.
Haltung: Stellt keine Ansprüche an
den Boden. Wenn die Einheitserde zu
fest erscheint, mit Kakteenerde
mischen. Im Frühjahr und Sommer
reichlich gießen und etwa alle zwei
Wochen dem Gießwasser Tomatendünger zusetzen, um die Pflanze am
Blühen zu halten. Braucht eine kalte
Winterruhe, um gut zu blühen.
(Bild Seite 76)

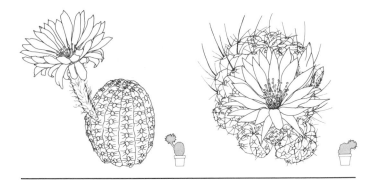

Lobivia
Lobivia famatimensis
Kakteen (Cactaceae)

5–30° C
Pralle Sonne
Im Winter trocken halten

Heimat: Nordargentinien
Eine kleine, besonders schöne,
polsterbildende Art; die einzelnen
Köpfe sind ca. 6 cm hoch und 2,5 cm
dick. Die gelblichen Stacheln auf den
rund 20 dünnen Rippen sind so
zahlreich und greifen so ineinander,
daß sie den Stamm fast verdecken.
Oben am Stamm stehen Büschel von
2,5 cm großen Blüten, die sich oft
mehrere Tage hintereinander öffnen
und abends wieder schließen. Sie sind
gewöhnlich gelb, aber es gibt auch
orangefarbene, rosa und weiße
Varietäten.
Haltung: Diese Art ist anspruchsvoller
in bezug auf Feuchtigkeit und
Temperatur als viele andere; daher
wegen der besseren Entwässerung
Kakteenerde verwenden. An sonnigen
Tagen im Frühjahr und Sommer
reichlich gießen.
Vermehrung: Im Frühjahr kann man
zur Vermehrung Stämme abnehmen,
die man vor dem Einpflanzen ein paar
Tage trocknen läßt.
Schädlinge: Unter den Stacheln
können sich Wolläuse verbergen.
(Bild Seite 77)

Lobivia
Lobivia hertrichiana
Kakteen (Cactaceae)

5–30° C
Pralle Sonne
Im Winter trocken halten

Heimat: Südöstliches Peru
Kleine Art. Der mehr oder weniger
kugelige, ca. 2,5–4 cm dicke, gerippte,
frischgrüne Stamm trägt ziemlich
kurze, borstige, gespreizte, gelbe
Stacheln. Die Pflanze bildet schnell ein
recht großes Polster. Sie bringt im
Frühjahr und Sommer Mengen
leuchtend scharlachroter, bis zu 5 cm
großer Blüten hervor; selbst ganz
junge Pflanzen blühen reich.
Haltung: Dieser attraktive Kaktus wirkt
am besten, wenn er in einer Schale
oder einem halbhohen Topf ein
größeres Polster bilden kann. Er
gedeiht am besten in gut entwässernder Einheitserde; eine Deckschicht
aus Kies schützt das Polster vor
überschüssigem Wasser. Zur
Anregung der Blüte sind Düngen im
Frühjahr und Sommer sowie eine kalte
Winterruhe erwünscht.
Vermehrung: Wenn das Polster zu
groß wird, kann man im Frühjahr ohne
weiteres Köpfe abnehmen, die man
vor dem Einpflanzen ein paar Tage
antrocknen läßt.

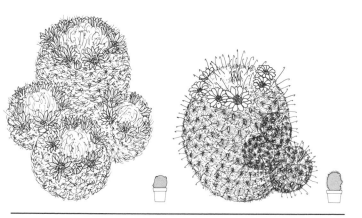

Warzenkaktus
Mammillaria bocasana
Kakteen (Cactaceae)

5–30° C
Pralle Sonne
Im Winter trocken halten

Heimat: San Luis Potosí (Mexiko)
Mammillarien sind die wohl beliebtesten Kakteen. Sie sind klein, blühen reich und haben wunderschöne Stacheln. *M. bocasana,* eine polsterbildende Art, ist blaugrün und dicht mit seidigen, weißen Wollhaaren bedeckt. Dazwischen sitzen gelbe bis bräunliche, hakig gekrümmte Mitteldornen. Blüht sehr reich. Die kleinen, rahmfarbenen Blüten bilden im Frühjahr einen Kranz um jeden Kopf.
Haltung: Braucht einen sonnigen Platz, dazu in der Wachstumszeit reichlich Wasser und etwa alle zwei Wochen eine Gabe Tomatendünger. Als Substrat eignet sich Kakteenerde. Jedes Jahr umtopfen.
Vermehrung: Wenn die Pflanze zu groß wird, nimmt man im Frühjahr einen Kopf ab, trocknet ihn zwei Tage und pflanzt ihn ein; er bewurzelt sich schnell.
(Bild Seite 76)

Warzenkaktus
Mammillaria bombycina
Kakteen (Cactaceae)

5–30° C
Pralle Sonne
Im Winter trocken halten

Heimat: Nordmexiko
Säulenförmige Pflanze, die mit den Jahren am Grunde Ableger erzeugt und Polster bildet. Der Stamm ist dicht mit schönen weißen Wollhaaren bedeckt, zwischen denen rotbraune, hakige Mitteldornen stehen. Die rötlich-violetten Blüten bilden im Spätfrühling oder Frühsommer Kränze um den Scheitel. Junge Pflanzen blühen nicht. Es scheint für Mammillarien typisch zu sein, daß Arten mit rahmfarbenen Blüten selbst als junge Pflanzen leicht blühen, die meisten rotblühenden dagegen erst als ausgewachsene Pflanzen.
Haltung: Braucht einen lockeren Boden (Kakteenerde oder Einheitserde mit einem Zusatz von Kies). Breitet sich nach außen aus, benötigt daher eine Schale. Jedes Jahr umtopfen. Im Sommer reichlich gießen, aber zwischen den einzelnen Wassergaben austrocknen lassen. Während der Blüte alle zwei Wochen Tomatendünger geben. Im Winter trocken halten. Vor feuchter, kalter Luft schützen.
Schädlinge: Beim Umtopfen auf Wurzelläuse achten.
(Bild Seite 78)

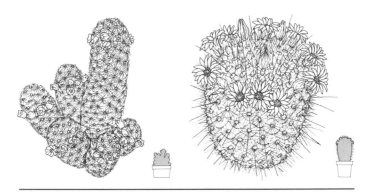

Warzenkaktus
Mammillaria elongata
Kakteen (Cactaceae)

5–30° C
Pralle Sonne
Im Winter trocken halten

Heimat: Hidalgo (Mexiko)
Bildet Polster aus langen, fingerförmigen Sprossen. Die Stacheln sind hübsch sternförmig angeordnet und variieren in der Farbe; es gibt Pflanzen mit weißen, gelben, braunen und sattroten Stacheln. Selbst kleine Pflanzen tragen im zeitigen Frühjahr zahlreiche rahmfarbene Blüten.
Haltung: Braucht einen lockeren Boden (Kakteenerde oder Einheitserde mit einem Zusatz von Kies). Wirkt am besten in einer Schale. Darf im Sommer reichlich gegossen, muß im Winter aber trocken gehalten werden. Während der Blüte alle zwei Wochen Tomatendünger geben. Braucht pralle Sonne, damit die Stacheln kräftig bleiben und ihre schöne Farbe behalten.
Vermehrung: Wenn das Kissen zu groß wird, Sprosse abnehmen (am besten im Spätfrühling), zwei bis drei Tage antrocknen lassen und einpflanzen.

Warzenkaktus
Mammillaria perbella
Kakteen (Cactaceae)

5–30° C
Pralle Sonne
Im Winter trocken halten

Heimat: Mexiko
Ca. 6 cm dicker, säulenförmiger Stamm mit kurzen, silberweißen Stacheln; verzweigt sich gewöhnlich nicht. Im Frühsommer sprießt ein Blütenkranz um den Scheitel der Pflanze. Die Blütenblätter sind blaßrosa mit dunklerem Mittelstreifen.
Haltung: Als Substrat Kakteenerde verwenden. Im Frühjahr und Sommer an sonnigen Tagen gießen, anschließend jedesmal austrocknen lassen. Während der Blütezeit alle zwei Wochen mit Tomatendünger düngen. Im Herbst das Gießen allmählich einschränken; im Winter trocken halten. Jedes Jahr umtopfen. Braucht den sonnigsten Platz im Gewächshaus, denn Sonne regt Knospenbildung und Bestachelung an. Die Erde darf nicht hart und fest werden.
Schädlinge: Auf Wurzelläuse achten.

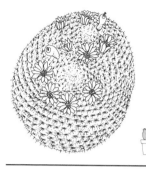

Warzenkaktus
Mammillaria spinosissima var.
sanguinea
Kakteen (Cactaceae)

5–30° C
Pralle Sonne
Im Winter trocken halten

Heimat: Mexiko
Dunkelgrüner, säulenförmiger Stamm
mit langen, weißen Stacheln, die
mittleren mit roten Spitzen. Im
Sommer violettrote, für eine Mammilla-
rie recht große, kranzförmig angeord-
nete Blüten.
Haltung: Pflegeleicht. Braucht
Kakteenerde und einen sonnigen
Platz. Im Frühjahr und Sommer
reichlich gießen, zwischen den
einzelnen Wassergaben austrocknen
lassen. Sobald sich Blütenknospen
zeigen, alle zwei Wochen bis zum
Ende der Blütezeit mit Tomatendünger
düngen. Im Spätherbst und Winter
trocken halten. Die Ruhezeit darf nicht
durch Feuchtigkeit gestört werden.
Jedes Jahr umtopfen.
Schädlinge: Beim Umtopfen auf
aschgrauen Belag auf den Wurzeln
achten, der den Befall durch
Wurzelläuse verrät.

Warzenkaktus
Mammillaria zeilmanniana
Kakteen (Cactaceae)

5–30° C
Pralle Sonne
Im Winter fast trocken halten

Heimat: Guanajuato (Mexiko)
Kurzzylindrische Art, die sich
verzweigt und vielköpfige Gruppen
bildet. Sehr reichblühend; Blüten
wunderschön rötlichviolett – eine der
wenigen rotblühenden Mammillarien,
die schon als junge Pflanzen blühen.
Gelegentlich treten Blüten mit einer
doppelten Reihe Kronblätter auf, und
es gibt auch eine weißblühende Form.
Blütezeit Frühsommer.
Haltung: In Kakteenerde im
halbhohen Topf. Im Frühjahr und
Sommer reichlich gießen, dabei
zwischendurch jedesmal austrocknen
lassen, und alle zwei Wochen mit
Tomatendünger düngen. Im Winter
fast trocken werden lassen. In einem
sonnigen Teil des Gewächshauses
halten. Zwischen den Köpfen darf sich
kein Wasser sammeln.
Vermehrung: Im Sommer kann man
Köpfe abnehmen und zur Vermehrung
verwenden.
Schädlinge: Auf Wollläuse achten.
(Bild Seite 79)

Neoporterie
Neoporteria napina
Kakteen (Cactaceae)

5–30° C
Mäßiges Licht
Im Winter trocken halten

Heimat: Nordchile
Neoporterien sind etwas ungewöhnliche Kakteen, aber lohnend und heute ziemlich leicht erhältlich. *N. napina* ist ziemlich klein (bis 8 cm hoch und 2,5 cm dick). Der bräunlichgrüne bis rötlichschwarze Stamm ist in viele schmale Rippen geteilt, die spiralig angeordnet sind und kurze schwarze Stacheln tragen. Die leuchtend gelben Blüten sind für eine so kleine Pflanze recht groß, oft 5 cm breit. Die Wurzel ist rübenförmig.
Haltung: Braucht wegen der langen Wurzel einen tiefen Topf. Die Wurzel ist empfindlich gegen überschüssiges Wasser, daher eine sehr gut entwässernde Erde (Kakteenerde) verwenden. Nicht in die pralle Sonne stellen und an sonnigen Tagen im Frühjahr und Sommer reichlich gießen.
Bemerkung: Neoporterien wurden früher in verschiedene Gattungen aufgeteilt.

Vogenestkaktus
Neoporteria nidus
Kakteen (Cactaceae)

5–30° C
Pralle Sonne
Im Winter trocken halten

Heimat: Mittelchile
Kleiner, dunkelgrüner Kaktus mit einem einzigen, 5–8 cm dicken, gerippten Stamm, der in der Jugend mehr oder weniger kugelförmig ist, später aber meist mehr in die Länge wächst. Er ist mit zahlreichen Stacheln nestartig umflochten; manche sind lang und gebogen, andere dünn und fast wie Haare. Blüht ziemlich leicht. Die rötlichen Blüten sind bis 4 cm breit und 9 cm lang.
Haltung: Die Pflege stellt zwar eine Herausforderung dar, ist aber eigentlich unproblematisch und verlangt nur Sorgfalt. Nie zuviel gießen, denn die Wurzel zieht ein, wenn sie zu feucht wird und keine Luft bekommt. Geschieht dies doch, so muß man im Frühjahr oder Sommer alles dunkle Gewebe wegschneiden, den Rest eine Woche trocknen lassen und wieder einpflanzen. Zu anderen Jahreszeiten das Umtopfen auf das folgende Frühjahr verschieben. Als Substrat eine gut entwässernde Mischung (Kakteenerde) verwenden. Nach Möglichkeit in die pralle Sonne stellen. Im Winter trocken halten.

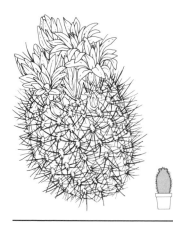

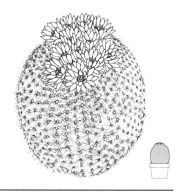

Neoporterie
Neoporteria mammillarioides
Kakteen (Cactaceae)

5–30° C
Pralle Sonne
Im Winter trocken halten

Heimat: Chile
Wahrscheinlich eine der am wenigsten
bekannten, sicher aber eine der
attraktivsten Neoporterien. Der
hellgrüne, fast kugelförmige, bis 8 cm
dicke Stamm trägt viele spitze Rippen,
die mit Büscheln starrer, gerader
Stacheln besetzt sind. Die Blüten sind
dunkelrosa oder rot und an den
Spitzen gelblich. Sie entspringen sehr
reichlich am Scheitel der Pflanze. Meist
öffnen sich mehrere gleichzeitig und
halten einige Tage.
Haltung: Braucht einen guten Boden
(Kakteenerde). Eine Deckschicht aus
Kies vermindert die Gefahr des
Abfaulens am Grunde, so daß man im
Frühjahr und Sommer ziemlich
reichlich gießen kann. Nicht vergessen,
im Herbst das Gießen einzuschränken.
Auf Anzeichen von Fäulnis achten.
Bemerkung: Wird manchmal in die
Gattung *Pyrrhocactus* gestellt.
(Bild Seite 80)

Buckelkaktus
Notocactus haselbergii
Kakteen (Cactaceae)

5–30° C
Pralle Sonne
Vorsichtig gießen

Heimat: Die Gattung ist in den Pampas
von Südbrasilien, Paraguay, Nordargentinien und Uruguay zu Hause.
Eine der schönsten Arten, die aussieht
wie ein silberner Ball. Die zahlreichen
Rippen sind dicht mit weichen, weißen
Stacheln besetzt, die in der Sonne
glänzen. Bildet keine Ableger. Im
Spätsommer entspringen auf dem
Scheitel der Pflanze kleine (ca. 1 cm
große) tomatenrote Blüten – eine in
dieser Gattung ungewöhnliche Farbe.
Sehr junge Pflanzen blühen nicht.
Haltung: Diese Kakteen brauchen
pralle Sonne. Das Pflanzsubstrat muß
gut durchlässig sein und darf nie zu naß
werden, da sonst die Pflanze die
Wurzeln verliert. Im Sommer reichlich
gießen, aber zwischen jeder
Wassergabe austrocknen lassen.
Während der Blütezeit alle zwei
Wochen mit Tomatendünger düngen.
Im Winter trocken halten.
Schädlinge: Gelegentlich treten Woll-
und Wurzelläuse auf.
(Bild Seit 97)

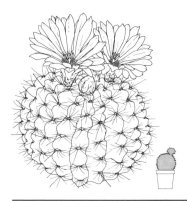

Buckelkaktus
Notocactus herteri
Kakteen (Cactaceae)

5–30° C
Pralle Sonne
Vorsichtig gießen

Heimat: Uruguay
Im Gegensatz zu den seit langem
kultivierten gelbblütigen Arten der
Gattung *Notocactus* haben einige
kürzlich entdeckte Arten wunderschöne rote Blüten. Zu diesen Arten
gehört auch *N. herteri*, eine große,
kugelförmige Pflanze mit rötlichbrau-
nen Stacheln. Die sattvioletten Blüten
entspringen im Spätsommer auf dem
Scheitel der Pflanze. Sämlinge blühen
nicht, aber die Pflanze wächst schnell
und wird bald mindestens 15 cm dick.
Haltung: Braucht einen lockeren
Boden (Kakteenerde). Im Sommer
reichlich gießen und zwischen jeder
Wassergabe austrocknen lassen.
Sobald sich Knospen bilden, alle zwei
Wochen mit Tomatendünger düngen.
Im Winter völlig trocken halten. Jedes
Jahr umtopfen.
Schädlinge: Regelmäßig auf
Wolläuse überprüfen.
(Bild Seite 98/99)

Buckelkaktus
Notocactus leninghausii
Kakteen (Cactaceae)

5–30° C
Pralle Sonne
Im Winter trocken halten

Heimat: Pampas von Südbrasilien,
Paraguay, Nordargentinien, Uruguay
Goldfarbene, sich verzweigende
Pflanze, die mit den Jahren eine bis
1 m hohe und 10 cm dicke Säule wird.
Die vielen dichtstehenden Rippen
tragen weiche gelbe Stacheln.
Kennzeichnend ist, daß sich das
Wachstumszentrum meist auf einer
Seite des Stammes befindet. Die
großen gelben Blüten erscheinen im
Spätsommer auf dem Scheitel der
Pflanze. Junge Pflanzen blühen nicht.
Haltung: Pflegeleicht. Kakteenerde
und ein sonniger Platz gewährleisten
eine gesunde Pflanze. Im Sommer
reichlich gießen, dabei zwischen jeder
Wassergabe austrocknen lassen.
Wähend der Blütezeit alle zwei
Wochen mit Tomatendünger düngen.
Im Herbst weniger gießen, im Winter
völlig trocken halten (vor Luftfeuchtig-
keit schützen!).
Vermehrung: Wenn die Pflanze zu
groß oder der Stamm unten korkartig
wird, kann man im Sommer Sprosse
abnehmen und zur Vermehrung
verwenden.
(Bild Seite 98)

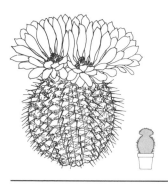

Buckelkaktus
Notocactus mammulosus
Kakteen (Cactaceae)

5–30° C
Pralle Sonne
Im Winter trocken halten

Heimat: Argentinien, Uruguay
Sich nicht verzweigender, dunkelgrüner Kugelkaktus. Die Rippen tragen
lange, kräftige, bräunliche Stacheln. Im
Spätsommer erscheinen auf dem
Scheitel der Pflanze gelbe Blüten mit
violetter Narbe. Die Blüten sind
selbstbefruchtend. Schon ganz kleine
Pflanzen blühen reich.
Haltung: Pflegeleicht. Als Substrat
Kakteenerde verwenden. Während der
Wachstumszeit im Frühjahr und
Sommer reichlich gießen. Sobald sich
Blütenknospen bilden, alle zwei
Wochen mit Tomatendünger düngen.
Ein Platz in der prallen Sonne
gewährleistet nicht nur Blütenpracht,
sondern auch lange, kräftige Stacheln.
Braucht im Winter eine trockene, kühle
Ruhepause. Eine ganz trocken
gehaltene Pflanze erträgt Temperaturen um den Gefrierpunkt. Jedes Jahr
umtopfen.
Vermehrung: Die pelzigen Samenkapseln enthalten Hunderte von
Samen, die leicht aufgehen. Im
Frühjahr aussäen.
(Bild Seite 99)

Buckelkaktus
Notocactus ottonis
Kakteen (Cactaceae)

5–30° C
Pralle Sonne
Nie zuviel gießen

Heimat: La Plata-Staaten
Völlig verschieden von den anderen
Arten der Gattung: viel kleiner, bildet
am Grunde reichlich Ableger. Die
einzelnen dunkelgrünen Köpfe sind ca.
7,5 cm dick. Die Rippen tragen
schlanke, gelbliche Stacheln. Die
gelben Blüten sind ca. 6 cm breit.
Haltung: Empfindlich in bezug auf
Feuchtigkeit; braucht eine lockere
Erdmischung (Kakteenerde), damit er
nicht die Wurzeln verliert. Am besten in
einen halbhohen Topf setzen. Benötigt
einen hellen Standort. Im Frühjahr und
Sommer reichlich gießen, zwischen
jeder Wassergabe jedoch austrocknen
lassen. Während der Blütezeit alle zwei
Wochen mit Tomatendünger düngen.
Im Winter trocken halten und vor
Luftfeuchtigkeit schützen.
Schädlinge: Die Hauptfeinde sind
Woll- und Wurzelläuse.
(Bild Seite 100/101)

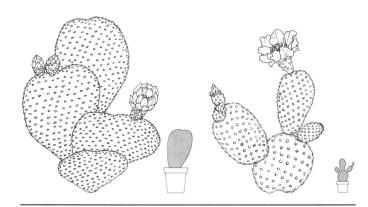

Feigenkaktus
Opuntia basilaris
Kakteen (Cactaceae)

5–30° C
Pralle Sonne
Im Winter trocken halten

Heimat: Nördliches Mexiko und
südwestliche USA
O. basilaris ist ideal für die Sammlung,
da sie selten mehr als zwei Glieder
hoch wird; verzweigt sich manchmal
vom Grunde aus. Die abgeflachten
Sprosse sind fast stachellos, sind aber
mit Gruppen dunkelroter, mit
Widerhaken versehener Borsten
bedeckt – den für alle Opuntien,
bestachelte und stachellose,
charakteristischen Glochiden.
Während die meisten anderen
Opuntien erst blühen, wenn sie für die
normale Sammlung zu groß geworden
sind, trägt *O. basilaris* oft schon bis
5 cm große rote Blüten am zweiten
Sproß, wenn sie erst ca. 20 cm hoch ist.
Haltung: Braucht eine gute, lockere
Erdmischung. Nicht winterhart. Bei
Überwinterung im Zimmer gerade so
viel gießen, daß sie nicht schrumpft; im
Gewächshaus am besten trocken
halten. Vorsicht – die Glochiden
können in die Haut eindringen.
(Bild Seite 100)

Goldopuntie
Opuntia microdasys
Kakteen (Cactaceae)

10–30° C
Pralle Sonne
Im Winter leicht feucht halten

Heimat: Nordmexiko bis Texas
Wohl der am häufigsten gehaltene
Kaktus, aber auch der am schlechte-
sten behandelte, wie die armen,
fleckigen, vertrockneten Pflanzen an
so vielen Fenstern bezeugen. Die
Wildpflanze breitet sich über eine
große Fläche aus, die Kulturform bildet
kleine, verzweigte Gruppen, die aus
vielen wunderschönen, abgeflachten
Sprossen bestehen. Diese sind
hellgrün und stachellos, aber dicht mit
Büscheln von gelben Glochiden
bedeckt. Es gibt auch Varietäten mit
rötlichen und weißen Glochiden.
Blüten gelb, selten rot.
Haltung: Braucht eine gut entwässernde Erdmischung und im Frühjahr
und Sommer reichlich Wasser. Im
Winter genug gießen, um ungebührli-
ches Schrumpfen zu verhüten, und
eher wärmer halten als im normalen
Kalthaus, da Winterkälte braune
Flecken verursacht. Vorsicht beim
Umgang; die Glochiden bohren sich
bei der leichtesten Berührung in die
Haut.
(Bild Seite 102/103)

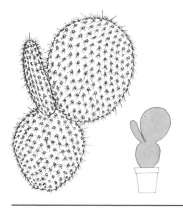

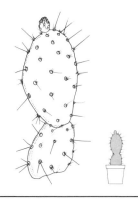

Feigenkaktus
Opuntia pycnantha
Kakteen (Cactaceae)

5–30° C
Pralle Sonne
Im Winter trocken halten

Heimat: Mexiko
Die hübscheste aller Opuntien, mit hellgrünem Stamm, davon abstechenden rötlichbraunen Glochiden und helleren, längeren Stacheln. Die einzelnen flachen Sprosse sind ca. 8 cm breit und stehen jeweils im rechten Winkel aufeinander. Dieser Kaktus blüht in Kultur kaum, ist aber auch ohne Blüten schön. An den Enden junger Sprosse erscheinen winzige zylindrische Blättchen, die bald einschrumpfen und abfallen; das ist ganz natürlich.
Haltung: Diese Art ist etwas empfindlicher als viele andere Opuntien gegen zuviel Feuchtigkeit, die Wurzelschwund verursacht; daher am besten gut durchlässige Kakteenerde verwenden. Im Frühjahr und Sommer reichlich gießen – auch Opuntien können welken! Pflanzen im Zimmer regelmäßig drehen, um einseitigen Wuchs zu verhindern.
Bemerkung: Wird manchmal fälschlich als *O. pycnacantha* bezeichnet.
(Bild Seite 107)

Feigenkaktus
Opuntia robusta
Kakteen (Cactaceae)

5–30° C
Pralle Sonne
Im Winter trocken halten

Heimat: Zentralmexiko
In seiner Heimat ein bis 5 m hoher Riese mit tellergroßen, blaugrünen Sprossen und herrlichen gelben Blüten. Eignet sich jedoch auch für die Zimmerhaltung; wächst für einen Kaktus recht schnell zu einer hübschen Pflanze heran, wird jedoch kaum Blühgröße erreichen. Blüten gelb, 7 cm breit.
Haltung: Normale Einheitserde genügt. Nicht winterhart. Muß im Winter trocken gehalten und vor Feuchtigkeit geschützt werden.
Vermehrung: Durch Abnehmen von Seitensprossen, die man ein paar Tage trocknen läßt, ehe sie eingepflanzt werden.
Schädlinge: Bei Standort im Freien auf Schnecken achten!
(Bild Seite 101)

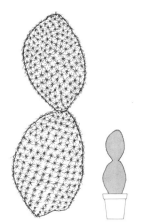

Feigenkaktus
Opuntia scheerii
Kakteen (Cactaceae)

5–30° C
Pralle Sonne
Im Winter trocken halten

Heimat: Querétaro (Mexiko)
Die flachen Sprosse bzw. Stammabschnitte dieser Opuntien sind im Durchschnitt ca. 15 cm lang und 5 cm breit, ältere Pflanzen haben größere Sprosse. Der Hauptsproß bildet Seitentriebe, so daß eine dekorative, buschige Pflanze entsteht. Die gesamte Oberfläche der Sprosse ist außer mit den unvermeidlichen Glochiden mit einem Netzwerk goldener Stacheln bedeckt. Die gelben Blüten sind bei kultivierten Pflanzen nicht zu erwarten.
Haltung: Als Substrat Kakteenerde verwenden. Im Frühjahr und Sommer reichlich gießen. Im Winter im Kalthaus ganz trocken halten, wobei die Sprosse etwas schrumpfen können. Bei Haltung im wärmeren Zimmer gerade genug gießen, um ein Einschrumpfen zu verhindern.
Vermehrung: Durch Abnehmen der Sprosse.
Schädlinge: Am Grunde der Gelenke sammeln sich gern Wolläuse.
(Bild Seite 104)

Feigenkaktus
Opuntia spegazzinii
Kakteen (Cactaceae)

5–30° C
Pralle Sonne
Im Winter trocken halten

Heimat: Westliches Argentinien
Die Sprosse sind nicht flach, sondern lang, schlank und reich verzweigt; im Topf werden sie meist ca. 30 cm lang und nur 1 cm dick. Glochiden und ganz kurze Stacheln sind in Gruppen auf ihnen angeordnet. Blüten weiß, erscheinen im Sommer.
Haltung: Besonders pflegeleichte Opuntie, begnügt sich mit guter Einheitserde und müßte selbst in einem Topf mit 5 cm Durchmesser mühelos zum Blühen zu bringen sein. Die langen, schlanken Sprosse brauchen eine Stütze; ideal ist ein kleines Topfpflanzenspalier, an das man sie vorsichtig anbinden kann. Im Frühjahr und Sommer reichlich gießen. Im Zimmer gehaltene Pflanzen brauchen im Winter unter Umständen etwas Wasser, damit die Sprosse nicht abfallen. Vorsicht beim Umgang: Große und kleine Sprosse fallen bei der leichtesten Berührung ab.
Vermehrung: Die abgefallenen Sprosse wurzeln meist an Ort und Stelle an.
(Bild Seite 104/105)

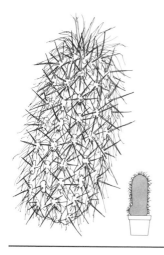

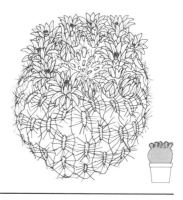

Bergcereus
Oreocereus celsianus
Kakteen (Cactaceae)

5–30° C
Pralle Sonne
Im Winter trocken halten

Heimat: Westliches Südamerika
(Hochanden)
Kann in der Heimat sehr groß werden,
wächst aber ziemlich langsam. In
Kultur erreicht die Pflanze schließlich
ca. 40 cm Höhe und 10 cm Durchmesser, braucht dazu aber viele Jahre. Der
säulenförmige Stamm hat eine Anzahl
gerundeter Rippen und Reihen
kräftiger, spitzer, bräunlicher, bei
größeren Pflanzen bis 3 cm langer
Stacheln, die unter einer Masse
seidiger weißer Haare hervorschauen.
Dieser wunderschöne Kaktus scheint
in der Kultur weder Ableger hervorzubringen noch sich zu verzweigen, so
daß er sich nicht vermehren läßt;
wahrscheinlich blüht er auch nicht.
Haltung: Anspruchslos. Begnügt sich
mit Einheitserde, doch ist Kakteenerde
ratsamer; wenn die Erde zu leicht ist,
kann die Pflanze kopflastig werden. Im
Frühjahr und Sommer gießen, wenn
die Erde auszutrocknen scheint. Im
Winter nicht über 15° C halten.
Bemerkung: Heißt jetzt *O. neocelsia-
nus.*
(Bild Seite 106)

Oroya
Oroya subocculta
Kakteen (Cactaceae)

5–30° C
Pralle Sonne
Im Winter trocken halten

Heimat: Peruanische Anden in Höhen
über 3000 m
Beliebte, reichblühende Pflanze, sieht
wegen der Anordnung der Rippen und
Stacheln für einen Kaktus eher
ungewöhnlich aus. Die vielen
stumpfen Rippen bestehen aus ovalen
Abschnitten, von denen jeder eine
Gruppe ebenfalls oval angeordneter,
gespreizter Stacheln trägt. Diese sind
blaßbraun, bis 1 cm lang, dünn und
sehr spitz. Der flachkugelige Stamm
wird bis 13 cm dick. Die Blüten sind ca.
2,5 cm groß, wunderschön orangeröt-
lich und unterseits gelblich. Kleine
Pflanzen blühen meist nicht leicht.
Haltung: Als Substrat nahrhafte, gut
durchlässige Erde verwenden. Im
Sommer reichlich gießen. Sonne
fördert die Blüte. Im Winter kühl und
hell aufstellen.
Bemerkung: Die Arten dieser Gattung
stellen für die Botaniker so etwas wie
ein Problem dar, da sie sich nicht
immer in ein aufgestelltes System
einordnen lassen; sie gehören in die
Verwandtschaft von *Borzicactus.*
(Bild Seite 106/107)

Pachyphytum
Pachyphytum oviferum
Dickblattgewächse
(Crassulaceae)

5–30° C
Pralle Sonne
Im Winter leicht feucht halten

Heimat: San Luis Potosí (Mexiko)
Kleine, bis 20 cm hohe Staude. Die
fleischigen, in Rosetten auf Stielen
stehenden, eiförmigen Blätter sind
bläulich bis lavendelfarben und dick
weiß bereift. Die weißen, glockenförmigen Blüten öffnen sich im Frühjahr.
Haltung: Nicht schwierig. Einheitserde
verwenden. Im Frühjahr und Sommer
reichlich Wasser geben. Im Winter hell,
kühl – aber frostfrei – und trocken
stellen. Hin und wieder leicht gießen,
um übermäßiges Schrumpfen der
Blätter zu verhüten. Braucht zur
Erhaltung des dicken weißen
Überzugs starkes Licht. Die Blätter
nicht bespritzen und nicht berühren, da
sonst dauernde Flecken entstehen.
Vermehrung: Wenn die Pflanze im
Frühjahr sparrig aussieht, die Rosetten
abschneiden, zwei Tage trocknen und
einpflanzen. An der alten Pflanze
bilden sich an den Schnittstellen neue
Rosetten.
Schädlinge: Im Winter verschrumpelte Blätter regelmäßig entfernen,
sonst entwickeln sich Pilze auf ihnen.
(Bild Seite 108/109)

Madagaskarpalme
Pachypodium lamerei
Hundsgiftgewächse
(Apocynaceae)

12–30° C
Pralle Sonne
Im Winter leicht feucht halten

Heimat: Madagaskar
Stammsukkulente. Kann in der Heimat
5–6 m hoch und bis 60 cm dick
werden. Der gräuliche, an eine Palme
erinnernde, sukkulente Stamm trägt
viele Stacheln, die in Gruppen zu drei
angeordnet und bis 2,5 cm lang sind.
Sie sind spitz, aber nicht so tückisch
wie die vieler Kakteen. Auf dem
Scheitel der Pflanze steht ein Schopf
grüner Blätter, die bei jungen Pflanzen
15–20 cm lang sind. Die unteren
Blätter fallen jeweils ab, während oben
neue wachsen. Die an Oleander
erinnernden Blüten sind bei uns kaum
zu erwarten.
Haltung: Kakteenerde verwenden
und nie zuviel gießen. Verträgt keine
Kälte, eignet sich im Winter mehr fürs
Zimmer als fürs Kalthaus, schätzt aber
im Sommer das zusätzliche Licht dort.
Braucht im Zimmer ein Höchstmaß an
Licht und muß regelmäßig gewendet
werden.
Bemerkung: Vorsicht – der Saft ist
giftig!
(Bild Seite 108)

Oben: *Pleiospilus bolusii,* eine
extreme Sukkulente, die wie ein Stein
aussieht, in dessen Spalt eine Blume
wächst.

Die gelbe Blüte besitzt einen zarten,
etwas mandelartigen Duft. Siehe Seite
147.

Oben: *Rebutia albiflora,* eine der kleinsten Rebutien, mit winzigen, dichtgedrängten Köpfen, weißen Stacheln und weißen Blüten. Siehe Seite 147.

Links: *Rebutia calliantha* var. *krainziana.* Alle Rebutien sind klein und ideal für ein sonniges Fensterbrett. Siehe Seite 148.

Unten: *Rebutia muscula,* ein kleines Juwel, mit vielen Ablegern und wunderschön gefärbten Blüten, die zwischen den seidigen, weißen Stacheln hervorschauen. Siehe Seite 148.

Oben: Rebutien sind die blühfreudig-
sten aller Kakteen; manche können
sich fast zu Tode blühen. Zum Glück
bilden die meisten reichlich Ableger
und sind leicht zu vermehren. Von *R.
senilis* gibt es eine Anzahl Varietäten
mit verschiedenen Blütenfarben –
rosa, orange und gelb. Aus den Blüten
entstehen Samenkapseln. Siehe Seite
149.

Rechts oben: *Rhipsalis* stammen aus
dem tropischen Regenwald; es sind
echte Kakteen, aber ganz verschieden
von den typischeren Wüstenformen.
Rhipsalis pilocarpa ist eine ideale
Ampelpflanze. Im Sommer vor praller
Sonne schützen. Siehe Seite 150.

Rechts: *Rhipsalidopsis rosea*, ein
Kaktus aus dem tropischen Regenwald. Er braucht zu allen Zeiten etwas
Feuchtigkeit und im Winter mehr
Wärme als die Wüstenkakteen. An den
flachen Stammabschnitten entspringen
zahlreiche Blüten. Eignet sich
hervorragend für den Hängekorb.
Siehe Seite 149.

Links: *Schlumbergera* 'Buckleyi', wohl der bekannteste Kaktus überhaupt. Allem Anschein zum Trotz ein echter Kaktus, und zwar eine Form des tropischen Regenwaldes. Wird leider, wie viele beliebte Pflanzen, oft nicht richtig gepflegt. Nach der Blüte kann man zwar das Gießen einschränken, die Pflanze darf aber nie ganz trocken gehalten werden. Siehe Seite 150.

Links unten: Einer der Reize der Sukkulenten ist ihre große Vielfalt, und *Sedum morganianum* ist gewiß »anders«. Sie eignet sich mit den langen, hängenden, in kleine, fleischige Blätter gehüllten Stengeln gut als Ampelpflanze. Die hellroten Blüten erscheinen gewöhnlich nur an großen Pflanzen. Pflanze so wenig wie möglich hin- und herrücken. Siehe Seite 151.

Unten: *Sedum hintonii* mit ihren winzigen, rundlichen, mit glitzernden weißen Haaren bedeckten Blättern ist eine Schönheit. Die Pflanze blüht im Winter; das ist eine angenehme Abwechslung, kann aber beim Gießen Schwierigkeiten machen. Im Winter sparsam gießen. Siehe Seite 151.

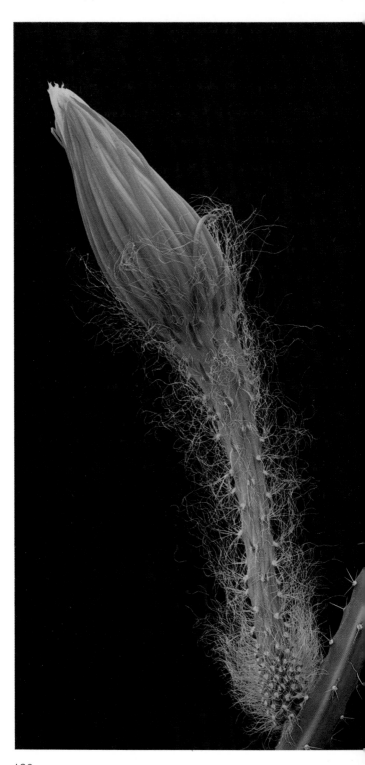

Links: *Selenicereus grandiflorus* benötigt recht viel Platz, verdient ihn aber auch. Die langen, hängenden Stämme brauchen unbedingt eine Stütze. Das Bild zeigt eine der riesigen Knospen, die in der Nacht aufblühen. Siehe Seite 152.

Rechts: *Sedum rubrotinctum* wird in der Hauptsache wegen der hübschen roten Farbe der winzigen, fleischigen Blätter gepflegt, nicht wegen ihrer Blüten. Leicht zu vermehren, da die Stämme gut anwurzeln, sobald sie die Erde berühren. Meist muß man die Pflanze beschneiden, damit sie einen guten Wuchs zeigt. Siehe Seite 152.

Unten: Bei den Greiskräutern gibt es ungeheure Größenunterschiede. *Senecio rowleyanus* ist eine zwergige Sukkulente. Das Bild zeigt, warum sie unbedingt einen Hängekorb braucht. Die Stengel wurzeln bei Bodenberührung leicht an. Siehe Seite 153.

Links außen: Die dunkellilafarbenen Kronblätter von *Stapelia revoluta* sind zurückgeschlagen und tragen einen Haarkranz. Siehe Seite 154.

Links: Die großen Blüten von *Stapelia hirsuta* sind mit feinen Haaren bedeckt; die Stengel sind samtig. Manchmal legen Fliegen in die Blüte ihre Eier ab. Siehe Seite 153.

Unten: *Stapelia variegata,* wohl die am häufigsten kultivierte Aasblume und eine der pflegeleichtesten und blühwilligsten; scheint aber auch die am stärksten stinkende zu sein. Siehe Seite 154.

Oben: Sulcorebutien – nicht zu
verwechseln mit Rebutien – sind nicht
gerade häufig und nicht leicht
erhältlich; es lohnt sich aber, nach
ihnen zu suchen. Die entzückenden
kleinen Pflanzen haben auffallend
gefärbte Blüten. *Sulcorebutia
totorensis* ist eine der größeren Arten,
aber immer noch klein. Die dichtgedrängten Köpfe bilden ein richtiges
Polster. Die Blüten öffnen sich
nacheinander, so daß die Blütezeit
recht lang ist. Braucht wegen der
langen Wurzeln einen tiefen Topf, und
beim Gießen ist besondere Sorgfalt
erforderlich. Siehe Seite 155.

Links: Alle Kakteen der Gattung
Trichocereus können sehr groß
werden; für die normale Sammlung
eignen sie sich nur, weil sie sehr
langsam wachsen und in der Jugend
schöne Topfpflanzen sind. Viele sind
ziemlich langweilige Säulen, die kaum
ihren Platz verdienen, aber diese Art
(Trichocereus chilensis) ist eine
Ausnahme – eine wunderschöne
Pflanze mit kräftigen, spitzen, attraktiv
gefärbten Stacheln. Nur alte Pflanzen
blühen. Siehe Seite 157.

Oben: *Trichocereus spachianus* eignet
sich gut als Topfpflanze und blüht,
wenn man ihm genügend Platz
anbietet. Sehr leicht zu vermehren.
Siehe Seite 157.

Rechts: *Weingartia neocumingii,* ein
besonders reich blühender kleiner
Kaktus, der im Frühling und Sommer
zahlreiche Blüten trägt. Die Stacheln
sind ganz weich. Siehe Seite 158.

Unten: *Weingartia lanata* blüht lange
Zeit sehr reichlich. Die Blüten duften
nicht. Siehe Seite 158.

Oben: Eine beeindruckende
Sammlung von Kakteen und anderen
Sukkulenten, die alle aus Amerika
stammen. Bemerkenswert die
mannigfaltigen Formen und Farben der
Echeverien-Rosetten.

Parodie
Parodia aureispina
Kakteen (Cactaceae)

5–30° C
Pralle Sonne
Sehr vorsichtig gießen

Heimat: Salta (Nordargentinien), in
2800 m Höhe
P. aureispina ist ein wunderschöner
goldener Ball; die spiralig angeordneten Rippen sind dicht mit kurzen
gelben Stacheln bedeckt, von denen
wenigstens einer in jeder Gruppe
Widerhaken hat. Im Sommer
entspringen auf dem Scheitel der
Pflanze große goldgelbe Blüten. Mit
zunehmendem Alter wird die Pflanze
zu einer bis ca. 20 cm hohen Säule und
bildet einige Ableger.
Haltung: Parodien neigen leider dazu,
ohne ersichtlichen Grund die Wurzeln
zu verlieren. Diese wachsen nach,
aber die Unterbrechung des
Wachstums kann eine Narbe
hinterlassen. Gut durchlässige
Kakteenerde verwenden. Nie zuviel
gießen. Nach jedem Gießen die Erde
austrocknen lassen. Im Winter trocken
halten. Halbhohen Topf verwenden,
damit die Wurzeln nicht von zuviel
kalter, nasser Erde umgeben sind. Alle
zwei Wochen mit Tomatendünger
düngen, sobald sich Knospen bilden.
Jedes Jahr umtopfen.
(Bild Seite 110/111)

Parodie
Parodia microsperma
Kakteen (Cactaceae)

5–30° C
Pralle Sonne
Vorsichtig gießen

Heimat: Nordargentinien
Jung kugel-, später säulenförmig.
Stamm blaßgrün; die zahlreichen,
spiralig angeordneten Rippen tragen
viele weißliche, z. T. mit Widerhaken
versehene Stacheln. Bildet einige
Ableger. Im Sommer sprießen auf dem
Scheitel der Pflanze ca. 5 cm große
goldgelbe Blüten. Die Varietät *gigantea*
blüht rot.
Haltung: An einem sonnigen Platz in
einem halbhohen Topf mit Kakteenerde. Im Sommer vorsichtig gießen,
zwischen den einzelnen Wassergaben
die Erde austrocknen lassen. Im Winter
trocken halten. Sobald sich Knospen
bilden, etwa alle zwei Wochen mit
Tomatendünger düngen. Jedes Jahr
umtopfen.
Vermehrung: Durch Ableger.
Schädlinge: Parodien werden
eigentlich nur von Woll- und
Wurzelläusen befallen.
(Bild Seite 110/111)

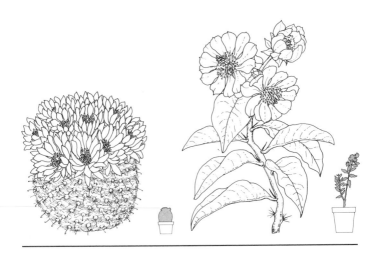

Parodie
Parodia sanguiniflora
Kakteen (Cactaceae)

5–30° C
Pralle Sonne
Vorsichtig gießen

Heimat: Nordargentinien
Jung kugel-, später säulenförmig. Die zahlreichen, spiralig angeordneten Rippen tragen viele bräunliche, z. T. mit Widerhaken versehene Stacheln. Trägt im Sommer große blutrote Blüten.
Haltung: Kakteenerde verwenden. Parodien immer vorsichtig gießen, da sie leicht die Wurzeln verlieren, wenn die Erde zu naß wird. Im Winter trocken halten. Vor Luftfeuchtigkeit schützen. Während der Blüte alle zwei Wochen mit Tomatendünger düngen. Alljährlich umtopfen.
Vermehrung: Manche Pflanzen bilden – zum Nachteil der Blüte – übermäßig viele Ableger. Jetzt beginnt man am besten wieder mit einem Ableger, der einige Jahre reichlich blüht, ehe er selbst Ableger bildet.
Schädlinge: Beim Umtopfen auf aschgrauen Belag auf den Wurzeln achten, der die Wurzelläuse verrät; gegebenenfalls die alte Erde abwaschen und in ein neues Gefäß umtopfen.

Laubkaktus
Pereskia aculeata
Kakteen (Cactaceae)

10–30° C
Pralle Sonne
Im Winter leicht feucht halten

Heimat: Stammt wahrscheinlich aus der Karibik; jetzt von Florida bis Nordargentinien verbreitet
Reich verzweigter, strauchförmiger Kaktus mit großen, hellgrünen (bei der Varietät *godseffiana* rötlichen), etwas sukkulenten Blättern und langen, leicht bestachelten, kriechenden Trieben; mehr einer wilden Rose als einem Kaktus ähnlich, aber durch Bestachelung und Blütenbau als solcher ausgewiesen. Weißlichrosa, ca. 4,5 cm große Blüten erscheinen im Herbst; nur große Pflanzen blühen.
Haltung: Pereskien brauchen nährstoffreiche Erde. Im Frühjahr und Sommer reichlich gießen und gelegentlich düngen. Die Triebe benötigen eine Stütze (Stab oder Spalier). Kann im Gewächshaus zum Dach hinauf und unter ihm entlang geleitet werden; braucht im Winter aber höhere Temperaturen, als sie das normale Kalthaus liefert – Kälte verursacht Laubabwurf. Gedeiht auch an einem hellen Wohnzimmerfenster, wenn genügend Platz vorhanden ist.
(Bild Seite 112)

Steinhaufen
Pleiospilos bolusii
Eiskrautgewächse
(Mesembryanthemaceae)

5–30° C
Pralle Sonne
Während der Ruhezeit trocken halten

Heimat: Kapland (Südafrika)
Verwandte der »Lebenden Steine«.
Die Pflanze besteht aus einem Paar
gefleckter, hochsukkulenter, am Ende
abgeflachter Blätter; sie sind
2,5–7,5 cm lang und fast ebenso breit
und sehen wie Granitkiesel aus. Der
Stamm ist so kurz, daß die Pflanze oft
als »stammlos« bezeichnet wird. Blüht
im Herbst. Die 7,5–10 cm großen
Blüten öffnen sich vom Spätnachmittag
bis zum frühen Abend, aber nur an
sonnigen Tagen.
Haltung: In Kakteenerde. Im
Spätsommer sind die vorjährigen
Blätter völlig verschrumpelt und die
neuen gut entwickelt. Jetzt anfangen
zu gießen und fortfahren bis zum
Herbst, wenn sich die Blätter des
nächsten Jahres zeigen; aufhören,
wenn sie ca. 1 cm hoch sind. Nicht
zuviel gießen.
Vermehrung: Zur Vermehrung im
Spätsommer die Köpfe abschneiden,
möglichst mit einem Stück »Stamm«.
(Bild Seite 129)

Zwergkaktus
Rebutia albiflora
Kakteen (Cactaceae)

5–30° C
Pralle Sonne
Vorsichtig gießen

Heimat: Die Gattung ist vor allem in
Bolivien und Nordwestargentinien
verbreitet.
Eine der sehr wenigen weißblühenden
Rebutien. Die Pflanze bildet ein Polster
kleiner, mit kurzen weißen Stacheln
bedeckter Köpfe. Sehr empfehlens-
wert bei beschränktem Platz; schon
1 cm große Pflanzen blühen. Blütezeit
Frühjahr.
Haltung: Dieser Kaktus hat ein
schwaches Wurzelsystem und muß in
einer flachen Schale gehalten werden,
damit die Wurzeln nicht von großen
Mengen kalter, nasser Erde umgeben
werden. Als Substrat Kakteenerde
verwenden. Im Frühjahr und Sommer
reichlich gießen, zwischen den
einzelnen Wassergaben jedoch
austrocknen lassen. Im Winter trocken
halten. Sobald sich Knospen zeigen,
alle zwei Wochen mit Tomatendünger
düngen.
Vermehrung: Einzelne Köpfe können
abgeteilt und zur Bildung neuer
Pflanzen verwendet werden.
Schädlinge: Wird gern von Woll- und
Wurzelläusen befallen.
(Bild Seite 131)

Rebutie
Rebutia calliantha var.
krainziana
Kakteen (Cactaceae)

5–30° C
Pralle Sonne
Nicht zuviel gießen

Heimat: Bolivien
Zur Blütezeit im Frühjahr trägt jeder
Kopf einen geschlossenen Ring von
Blüten, deren Farbe von fast reinem
Rot zu reinem Orange variiert; die
Knospen sind purpurrot. Die einzelnen
Köpfe dieser polsterbildenden Kaktee
sind säulenförmig und werden bis ca.
10 cm hoch. Die ganz kurzen, weißen
Stacheln bilden auf dem grünen
Stamm ein hübsches Muster.
Haltung: Braucht einen sonnigen
Platz, damit die frische Farbe erhalten
bleibt und die Blüte gewährleistet ist.
Jede gute Einheitserde ist geeignet. Im
Frühjahr und Sommer reichlich gießen
und vor dem nächsten Mal fast trocken
werden lassen. Sobald sich Knospen
bilden, alle zwei Wochen mit
Tomatendünger düngen.
Schädlinge: Sorgfältig auf Anzeichen
von Wolläusen achten, vor allem am
Wachstumspunkt der Stämme.
Bemerkung: Wird oft auch in zwei
Arten geteilt (*R. krainziana* und *R.
calliantha*).
(Bild Seite 130/131)

Rebutie
Rebutia muscula
Kakteen (Cactaceae)

5–30° C
Pralle Sonne
Nicht zuviel gießen

Heimat: Nordargentinien bis
Südbolivien
Eine noch nicht lange entdeckte Art,
nicht zu verwechseln mit der weniger
attraktiven *R. minuscula*. Mit dem
reinen Orange ihrer sich im Spätfrühling öffnenden Blüten eine wunderschöne Bereicherung jeder Kakteen-
sammlung. Der Stamm ist dicht mit
weichen weißen Stacheln bedeckt.
Bildet Polster, die in der Sonne wie ein
silbernes Kissen aussehen.
Haltung: Braucht wie die meisten
Kakteen helles Licht. Einheitserde
genügt, aber Kakteenerde gewährleistet bessere Entwässerung. Im
Frühjahr und Sommer reichlich gießen
und zwischendurch austrocknen
lassen. Sobald sich Knospen bilden,
alle zwei Wochen mit Tomatendünger
düngen.
Vermehrung: Durch Ableger.
Schädlinge: Wolläuse, die den Saft
der Pflanze saugen, verbergen sich
zwischen den dichtgedrängten
Köpfen; ihre weißen Körper ver-
schmelzen mit der Pflanze, so daß sie
schwer zu entdecken sind.
(Bild Seite 131)

Rebutie
Rebutia senilis
Kakteen (Cactaceae)

5–30° C
Pralle Sonne
Vorsichtig gießen

Heimat: Salta (Nordargentinien)
Der Blütenkranz hebt sich gut gegen
die silberweißen Stacheln ab. Die
Nominatform blüht karminrot, daneben
gibt es zinnoberrote, lilarosa und
hellgelbe Varietäten. Aus den Blüten
entwickeln sich Samenkapseln, und im
Herbst drängen sich Dutzende von
Sämlingen um die Mutterpflanze.
Ältere Pflanzen bilden Polster von ca.
30 cm Durchmesser.
Haltung: Rebutien sind ideal für
Sammler ohne Gewächshaus. Sie sind
klein und blühen auf einem sonnigen
Fensterbrett jedes Frühjahr. Sie stellen
keine Ansprüche an den Boden; man
kann ein lehmiges oder ein erdfreies
Substrat verwenden. Im Frühjahr und
Sommer reichlich gießen und
anschließend das Substrat austrock-
nen lassen. Sobald sich Knospen
bilden, alle zwei Wochen mit
Tomatendünger düngen.
Vermehrung: Zur Vermehrung kann
man einzelne Köpfe abnehmen.
Schädlinge: Sorgfältig auf Wollläuse
achten.
(Bild Seite 132)

Osterkaktus
Rhipsalidopsis rosea
Kakteen (Cactaceae)

10–30° C
Halbschatten
Das ganze Jahr leicht feucht halten

Heimat: Paraná (Südbrasilien)
Ein mit dem bekannten Weihnachtskaktus verwandter Urwaldkaktus, der
im zeitigen Frühjahr blüht. Die
rosenroten Blüten sind ca. 2,5 cm
groß. Die Pflanze besteht aus sehr
kleinen, flachen, ca. 2 cm langen
Gliedern, die aneinanderhängen und
sich reichlich verzweigen, so daß ein
kleiner Busch entsteht. An den
Rändern und am Ende dieser Glieder
sitzen Büschel kleiner, völlig harmloser
Stacheln.
Haltung: Man kann diesen entzückenden kleinen Kaktus als normale
Topfpflanze, besser noch als
Ampelpflanze halten. Wünscht einen
nahrhaften Boden, darum der
Einheitserde etwa ein Drittel Torf (bzw.,
falls möglich, Laubstreu) zusetzen. Im
Frühjahr, sobald sich Knospen bilden,
alle zwei Wochen mit Tomatendünger
düngen und reichlich gießen.
Zimmerpflanzen gelegentlich mit
weichem Wasser übersprühen.
Vermehrung: Mühelos. Im Frühjahr
oder Sommer durch Abnehmen von
Sprossen.
(Bild Seite 132/133)

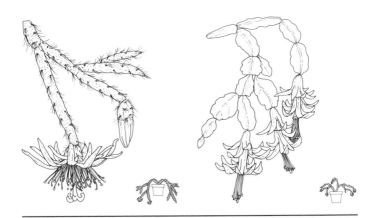

Binsenkaktus
Rhipsalis pilocarpa
Kakteen (Cactaceae)

Weihnachtskaktus
Schlumbergera × bridgesii
Kakteen (Cactaceae)

10–30° C
Halbschatten
Im Winter leicht feucht halten

10–30° C
Halbschatten
Das ganze Jahr leicht feucht halten

Heimat: Ostbrasilien
Kräftige Art. Die Pflanze besteht aus
zahlreichen dunkelgrünen, zylindrischen, bis 40 cm langen und 3–6 mm
dicken, kriechenden Stämmen, die
kurze, borstige Stacheln tragen. Am
Ende der Triebe erscheinen im Winter
weiße oder rahmfarbene, ca. 2 cm
große Blüten, die duften.
Haltung: Ideale Ampelpflanze.
Braucht einen nahrhaften Boden; einer
guten, porösen Erde lieber noch Torf
(oder besser noch sterile Laubstreu,
falls möglich) zusetzen. Im Frühjahr
und Sommer reichlich gießen und von
Zeit zu Zeit düngen. Bei Überwinterung
im Kalthaus am besten ganz trocken
halten.
Bemerkung: Auch unter dem Namen
»Roter Binsenkaktus« *(Erythrorhipsa-
lis)* bekannt.
(Bild Seite 133)

Heimat: Hybride aus *Schl. truncata*
und *Schl. russeliana*, beide aus dem
Orgelgebirge bei Rio de Janeiro
(Brasilien)
Zweifellos der beliebteste und
verbreitetste Kaktus. Die ganz Pflanze
bildet einen dicht verzweigten Busch.
An den Enden der Sprosse erscheinen
im Winter zahlreiche duftlose, ca. 3 cm
breite Blüten von ungewöhnlicher
Form; die typische Farbe ist karminrot,
aber es gibt Varietäten in verschiede-
nen Tönen von Rot, Rosa und Weiß,
jedoch nicht von Blau.
Haltung: Ein Urwaldkaktus, der mehr
Wärme und Feuchtigkeit braucht als
die Wüstenkakteen. Eine nahrhafte
Erde mit Zusatz von Torf oder
Laubstreu verwenden; knospende und
blühende Pflanzen reichlich gießen
und alle zwei Wochen düngen. Nach
der Blüte etwas weniger gießen.
Pflanze nicht umstellen, da sonst die
Knospen abfallen.
Vermehrung: Leicht, durch Sproßglie-
der.
Bemerkung: Auch unter dem Namen
Epiphyllum bridgesii bekannt.
(Bild Seite 134/135)

Fetthenne, Mauerpfeffer
Sedum hintonii
Dickblattgewächse
(Crassulaceae)

10–30° C
Pralle Sonne
Im Winter fast trocken halten

Heimat: Mexiko
S. hintonii gehört mit zu den schönsten *Sedum*-Arten. Die zahlreichen kurzen Sprosse tragen winzige, eiförmige, dicht mit weißen Haaren bedeckte Blätter. Die kleinen weißen Blüten erscheinen im Winter.
Haltung: Dieses kleine Juwel braucht eine gut entwässernde Erde (Kakteenerde). Während der Blüte sehr sparsam gießen, da leicht Fäulnis eintritt, wenn sich Wasser zwischen den Blättern oder den dichtgedrängten Sprossen festsetzt. *S. hintonii* verträgt bei trockener Haltung recht niedrige Temperaturen, sollte aber eher wärmer gehalten werden als im normalen Gewächshaus und eignet sich gut als Zimmerpflanze.
(Bild Seite 135)

Fetthenne
Sedum morganianum
Dickblattgewächse
(Crassulaceae)

10–30° C
Pralle Sonne
Im Winter leicht feucht halten

Heimat: Mexiko
Bis 90 cm lange, vom Grunde aus reich verzweigte Triebe, die völlig von kleinen, ca. 2 cm langen und 1 cm dicken, sukkulenten Blättern verhüllt sind, deren blaßgrüne Farbe unter einem weißlichen Belag verborgen ist. Am Ende der Triebe entspringen bei großen, alten Pflanzen sehr attraktive rosenrote Blüten.
Haltung: Läßt sich praktisch nur in einem Hängekorb halten, der mit Torfmoos ausgekleidet und mit einer guten Einheitserde gefüllt wird. Im Frühjahr und Sommer reichlich gießen und nie völlig austrocknen lassen, sonst werden die Blätter abgeworfen. Immer sorgfältig behandeln – verliert leicht die Blätter.
Vermehrung: Abgefallene Blätter wurzeln sofort an. In unter dem Korb stehenden Töpfen wachsen bald kleine Fetthennen.
(Bild Seite 134)

Fetthenne
Sedum rubrotinctum
Dickblattgewächse
(Crassulaceae)

5–30° C
Pralle Sonne
Im Winter leicht feucht halten

Heimat: Mexiko
Bunte kleine Fetthenne, die einen bis
20 cm hohen Halbstrauch bildet. Die
verzweigten Triebe tragen zahlreiche
ca. 2 cm lange und 7 mm dicke Blätter.
Diese sind am Grunde hellgrün, aber
zur Spitze hin hübsch rot. Die Blüten
sind klein, gelb und keineswegs
zahlreich.
Wenn die Triebe länger werden,
werden sie sich voraussichtlich senken
und anwurzeln, wenn sie Erde
berühren.
Haltung: Einheitserde verwenden.
Während der Wachstumszeit im
Frühjahr und Sommer kann man
reichlich gießen, die Erde darf jedoch
nie sumpfig werden. Die Pflanze ist
ziemlich widerstandsfähig und braucht
im Winter nur so viel Wasser, daß die
Blätter nicht einschrumpfen und
abfallen. Wenn die Pflanze nicht
genügend Licht bekommt, vergrünen
die Blätter.
Vermehrung: Die abgeschnittenen
Triebe kann man als Stecklinge
verwenden.
(Bild Seite 137)

**Königin der Nacht,
Schlangencereus**
Selenicereus grandiflorus
Kakteen (Cactaceae)

7–30° C
Gefiltertes Licht
Das ganze Jahr feucht halten

Heimat: Jamaika, Kuba
Gut bekannte Art mit rankenden,
graugrünen Trieben, die 2,5 cm dick
und bis 5 cm lang sind. Die Rippen
tragen nadelartige Stacheln. Wird vor
allem wegen der großartigen,
glockenförmigen, weißen Blüten
gepflegt. Sie sind ca. 30 cm lang und
duften süß, öffnen sich am späten
Abend und welken am nächsten
Morgen.
Haltung: Eignet sich am besten für das
Gewächshaus, wo die Triebe unter
dem Dach entlang geleitet werden
müssen, oder für ein Südfenster.
Gedeiht in einer lehmigen Erdmi-
schung mit Zusatz von Knochenmehl.
Während der Wachstumszeit mit
Tomatendünger düngen. Im Frühjahr
und Sommer reichlich gießen, im
Winter nur wenig. Vor starker
Sonneneinstrahlung schützen. Jedes
Jahr umtopfen.
Vermehrung: Durch ca. 15 cm lange
Stammabschnitte.
Bemerkung: Auch unter dem Namen
Cereus grandiflorus bekannt.
(Bild Seite 136)

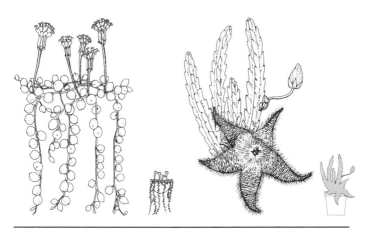

Kreuzkraut, Greiskraut
Senecio rowleyanus
Korbblütler (Compositae)

5–30° C
Pralle Sonne
Im Winter leicht feucht halten

Heimat: Südafrika
Kleines, sukkulentes Greiskraut, das hauptsächlich wegen seiner seltsamen Blätter interessant ist. An den langen, dünnen, hängenden Trieben sind die 7 mm großen, kugelförmigen Blättchen wie Perlen aufgereiht. Die Triebe wachsen bei Bodenberührung sofort an, und es entsteht ein dichter Teppich. Kann weiße Blüten tragen oder auch nicht.
Haltung: Hell stellen und am besten in flache Schalen mit gut durchlässiger, lehmiger Erde pflanzen. Nicht zu viel gießen. Düngen ist meist nicht nötig. Läßt sich gut im Hängekorb halten, wenn man die Triebe dazu bringen kann, über den Rand zu hängen statt im Korb anzuwurzeln. Im Winter kühl halten.
Vermehrung: Stücke abschneiden und sofort einpflanzen.
Bemerkung: Die Greiskräuter (Gattung *Senecio*) sind eine sehr große Familie, zu der Pflanzen ganz unterschiedlicher Größe und Gestalt gehören.
(Bild Seite 137)

Aasblume
Stapelia hirsuta
Seidenpflanzengewächse (Asclepiadaceae)

10–30° C
Pralle Sonne
Im Winter trocken halten

Heimat: Kapland
Sehr sukkulente Pflanze mit vierkantigen, sich am Grunde verzweigenden, samtigen Sprossen. Hat keine Stacheln, aber die Kanten tragen kleine Zähnchen. Die Sprosse können bis ca. 20 cm hoch und 2,5 cm dick werden, abe schon halb so große Pflanzen können blühen. Das Interessanteste an allen Stapelien sind die Blüten. Die Blüten von *S. hirsuta* sind bis 10 cm groß und sehen aus wie Seesterne; die fünf »Arme« sind bräunlichviolett und tragen gelbe Querstreifen; die ganze Blüte ist mit violetten Haaren bedeckt. Vielgestaltige Art mit vielen Varietäten.
Haltung: In kräftige, jedoch durchlässige Erde pflanzen; eine Deckschicht Kies verhindert Fäulnis am Grunde. Im Sommer warm und sonnig stellen, im Winter kühl und trocken halten. Mäßig gießen.
Vermehrung: Durch Stecklinge, die man vor dem Einpflanzen gut antrocknen läßt.
(Bild Seite 139)

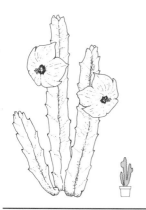

Aasblume
Stapelia revoluta
Seidenpflanzengewächse
(Asclepiadaceae)

10–30° C
Pralle Sonne
Im Winter trocken halten

Heimat: Kapland
Diese ungewöhnliche Sukkulente hat
glatte, blaugrüne, zur Wachstums-
spitze hin braune Sprosse, deren vier
Kanten weiche »Zähne« tragen. In der
Kultur werden sie ca. 20 cm lang und
2 cm dick. Die fünf Zipfel der
rötlichbraunen, seesternähnlichen
Blüten sind stark zurückgebogen.
Völlig geöffnet ist die Blüte weit über
3 cm groß. Die Ränder der Blüte sind
mit braunen Wimperhaaren besetzt.
Blüte leicht übelriechend.
Haltung: In kräftige, gut durchlässige
Erde setzen, die mit einer Deckschicht
Kies versehen wird, um Fäulnis am
Grunde zu verhindern. Nur mäßig
gießen, wenn die Erde fast völlig
ausgetrocknet ist. Unbedingt vor
Staunässe schützen!
(Bild Seite 138)

Aasblume
Stapelia variegata
Seidenpflanzengewächse
(Asclepiadaceae)

10–30° C
Pralle Sonne
Im Winter trocken halten

Heimat: Kapland
Aasblume mit kurzen, rasigen
Sprossen, die 5–10 cm hoch werden.
Sprosse grün oder rötlich, mit
stumpfen Kanten und spitzen,
abstehenden Zähnchen. Die
aufregenden Blüten sind 5 cm groß
oder mehr. Sie sind einem Seestern
sehr ähnlich, mit stumpfen Zipfeln, und
tragen auf gelbem Grund ein
attraktives Muster aus braunen
Flecken mit einer gelben Scheibe in
der Mitte.
Haltung: Die wegen ihrer Blühwilligkeit
ohne Zweifel mit Recht am häufigsten
kultivierte Stapelie und zugleich eine
der weniger anspruchsvollen. Kräftige,
gut durchlässige Erde verwenden. Bei
warmem Wetter gut gießen, jedoch vor
Staunässe schützen. Erträgt
Wintertemperaturen unter 10° C,
gedeiht aber bei höheren Temperaturen besser.
Vermehrung: Leicht zu vermehren,
indem man im Frühjahr oder Sommer
einen Sproß, vielleicht noch mit
Wurzeln, abnimmt.
(Bild Seite 138/139)

Stomatium geoffreyii
Eiskrautgewächse
(Mesembryanthemaceae)

Sulcorebutia totorensis
Kakteen (Cactaceae)

5–30° C
Pralle Sonne
Im Winter trocken halten

5–30° C
Pralle Sonne
Im Winter trocken halten

Heimat: Südafrika
Klumpenbildende kleine Sukkulente.
Die vielköpfige Pflanze hat sehr kurze
Sprosse, so daß sie auf den ersten
Blick fast stammlos erscheint. Jeder
Kopf ist ca. 4 cm groß und besteht aus
etwa sechs fleischigen, dreieckigen,
am Rande gezähnten Blättern, die oft
von Calciumoxalat weißlich überzogen
sind. Die gelben, kurzgestielten Blüten
erscheinen den ganzen Sommer
hindurch; sie öffnen sich an sonnigen
Tagen, schließen sich abends aber
wieder.
Haltung: Gedeiht im Gewächshaus
genauso wie an einem sonnigen
Fensterbrett: am besten einen
halbhohen Topf von 10 cm Durchmesser verwenden. Als Substrat
Kakteenerde benützen. Im Sommer
reichlich gießen, aber im Winter völlig
trocken halten. Alle zwei oder drei
Jahre umtopfen.
Vermehrung: Durch Stecklinge.
Wenn die Pflanze den Topf ausfüllt und
der verholzte Sproß sichtbar wird,
schneidet man die Köpfe mit ca. 5 mm
Sproß daran ab und pflanzt sie ein, am
besten im Frühsommer.

Heimat: Bolivien
Sulcorebutien sind kleine, niedrige,
polsterbildende Kakteen mit langen
Pfahlwurzeln; oft befindet sich ein
größerer Teil der Pflanze unter der
Erde als darüber. Sie zeichnen sich
besonders durch ihre leuchtend
bunten, aparten Blüten aus. Viele
haben ganz kleine Köpfe. *S. totorensis*
ist eine der größeren Arten mit bis zu
6 cm breiten und fast ebenso hohen
Köpfen. Wenn die Pflanze diese Größe
erreicht hat, hat sie um die Basis
bereits eine Anzahl Ableger gebildet.
Die satt rötlich-violetten Blüten halten
etwa fünf Tage; da sie nacheinander
aufblühen, dauert die Blütezeit bis zu
vier Wochen.
Haltung: Wegen der langen Wurzel
benötigt die Pflanze einen tiefen Topf.
Braucht, wie alle Sulcorebutien, eine
besonders gut entwässernde Erde
(Kakteenerde). Staunässe führt leicht
zu Fäulnis! Im Frühjahr und Sommer
reichlich gießen und während der
Blütezeit alle zwei Wochen mit
Tomatendünger düngen.
(Bild Seite 141)

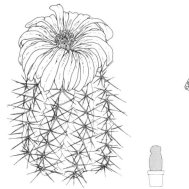

Thelocactus
Thelocactus bicolor
Kakteen (Cactaceae)

5–30° C
Pralle Sonne
Im Winter trocken halten

Heimat: Südtexas bis Zentralmexiko
Der auch in der Natur nicht sehr große,
kugel- bis säulenförmige Kaktus kann
in der Sammlung einen Durchmesser
von 10 cm erreichen. Manche
Pflanzen bilden Ableger – andere nicht.
Die Rippen des Stammes sind
eingekerbt; auf jedem der so
entstandenen niedrigen Höcker steht
eine Gruppe langer, bunter Stacheln
(rot mit bernsteingelber Spitze). Blüten
violettrot.
Haltung: Pflegeleicht. Gut durchlässige Einheitserde mit etwas Kalkzusatz
oder Kakteenerde verwenden. Sonnig
und warm stellen. Im Sommer feucht
halten, auf dem Scheitel darf sich aber
kein Wasser sammeln. Im Winter kühl
und trocken halten. Dieser Kaktus ist in
der Kultur anscheinend nicht leicht
zum Blühen zu bringen; kalte
Winterruhe regt die Blüte an.

Titanopsis calcarea
Eiskrautgewächse
(Mesembryanthemaceae)

5–30° C
Pralle Sonne
Während der Ruhezeit trocken halten

Heimat: Südafrika (Kapland)
Zwergsukkulente. Bildet 7,5 cm breite
Rosetten, mit je zwei oder drei Paar
Blättern. Diese sind graugrün und an
der Spitze, die mit weißlichen Haaren
bedeckt ist, verbreitert. Durch ihr
kreidiges Aussehen sind sie den
Kalkfelsen, auf denen sie wachsen,
sehr ähnlich. Die satt goldgelben
Blüten erscheinen im Winter. Bei
sonnigem Wetter öffnen sie sich am
Nachmittag und schließen sich am
Abend. Bei wolkigem Wetter können
die Knospen absterben.
Haltung: Im halbhohen Topf mit
Kakteenerde im sonnigsten Teil des
Gewächshauses dicht am Glas zu
halten. Die Wachstumszeit ist der
Winter; dann muß an sonnigen Tagen
gegossen werden. Im Sommer
ziemlich trocken halten.
Vermehrung: Zur Vermehrung kann
man das Polster teilen; dabei muß an
den abgenommenen Köpfen immer
ein kurzes Stück Stamm verbleiben.

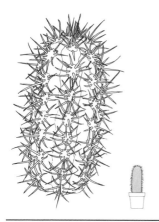

Haarcereus
Trichocereus chilensis
Kakteen (Cactaceae)

5–30° C
Pralle Sonne
Im Winter trocken halten

Heimat: Chile
Trichocereen sind hübsch, solange sie klein sind. Diese Art wird manchmal angeboten und lohnt den Kauf, da sie recht langsam wächst. Bei von Natur aus großwüchsigen Kakteen läßt sich schwer eine Endgröße angeben, aber eine schöne Kulturpflanze wird nach vielen Jahren vermutlich ca. 20 cm hoch und 5–8 cm dick sein. Höchst attraktiv wegen der langen, kräftigen, goldbraunen Stacheln auf den vielen Rippen des hellgrünen Stammes. Die wunderschönen weißen Blüten duften angenehm, aber nur sehr große Pflanzen blühen.
Haltung: Sehr anspruchslos. Wächst in gut durchlässiger Einheitserde. Im Frühjahr und Sommer reichlich gießen. Vorsicht – die Stacheln sind spitz wie Nadeln! Kann im Sommer auch ins Freie gestellt werden.
Bemerkung: Heute vereinigt man die Gattung oft mit *Echinopsis*.
(Bild Seite 140/141)

Haarcereus
Trichocereus spachianus
Kakteen (Cactaceae)

5–30° C
Pralle Sonne
Im Winter trocken halten

Heimat: Nordwestargentinien
Auch dieser von Natur großwüchsige Kaktus eignet sich als kleine Pflanze gut für die Sammlung. Der hellgrüne, 10- bis 15rippige Stamm verzweigt sich schließlich am Grunde. Die stumpfen Rippen tragen nur ganz kurze Stacheln. Wenn man die Pflanze groß genug werden läßt, erscheinen zum Dank vielleicht große grünlich-weiße Blüten auf dem Scheitel, die sich abends öffnen.
Haltung: Begnügt sich mit guter, durchlässiger Einheitserde. Im Frühjahr und Sommer reichlich gießen. Vorsicht – große Pflanzen werden kopflastig.
Vermehrung: Wenn man keine große Pflanze haben will, kann man mit Leichtigkeit viele kleine erzeugen. Sproß abschneiden und vor dem Einpflanzen ein paar Tage antrocknen lassen. Außerdem bildet der Stumpf einen Kranz von Ablegern, die man ebenfalls abnehmen und einpflanzen kann.
Bemerkung: Diese Art wird hauptsächlich als Pfropfunterlage für andere Kakteen verwendet.
(Bild Seite 142)

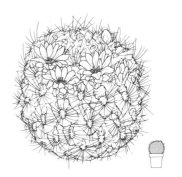

Weingartie
Weingartia neocumingii
Kakteen (Cactaceae)

5–30° C
Pralle Sonne
Im Winter trocken halten

Heimat: Nordchile
Hellgrüner Kugelkaktus mit einem
Höchstdurchmesser von ca. 10 cm
und zahlreichen spiralig angeordneten,
gekerbten Rippen. Die goldenen
Stacheln sind meist weniger als 2 cm
lang und ganz weich und borstig. Am
Scheitel der Pflanze erscheinen im
Frühjahr und Sommer zahlreiche
sattgelbe, ca. 3 cm große Blüten.
Haltung: Muß bei Zimmerhaltung im
Winter unbedingt in den kältesten
Raum gestellt werden, aber an helle
Licht, damit sie im nächsten Jahr blüht.
Im Gewächshaus dürfte dies kein
Problem sein. Kakteenerde verwen-
den. Im Frühjahr und Sommer reichlich
gießen und alle zwei Wochen mit
Tomatendünger düngen.
Schädlinge: Auf Wolläuse am Grund
der Blüten achten.
Bemerkung: Wird manchmal in die
Gattung *Gymnocalycium* gestellt,
wegen der unbehaarten Blütenknos-
pen. Abgesehen davon ist die
Ähnlichkeit nicht sehr groß.
(Bild Seite 142/143)

Weingartie
Weingartia lanata
Kakteen (Cactaceae)

5–30° C
Pralle Sonne
Im Winter trocken halten

Heimat: Bolivien
Grob kugelförmiger Stamm mit einem
Durchmesser von ca. 10 cm. Die
spiraligen Rippen sind tief eingekerbt,
so daß der Stamm eher höckerig als
gerippt erscheint. Auf diesen Höckern
stehen Büschel weißer, wolliger Haare,
zum Scheitel hin starre, aber nicht sehr
kräftige, ca. 2 cm lange, hellbraune
Stacheln. Die Schönheit der
goldgelben Blüten ist unübertroffen.
Sie sind nur ca. 3 cm groß, aber sie
erscheinen in Mengen um den
Scheitel des Stammes. Sie halten
mehrere Tage. In einem guten Jahr
folgt der Blüte im Frühjahr oder
Sommer oft noch eine zweite im
Herbst.
Haltung: Anspruchslos. Gut
durchlässige Kakteenerde verwenden.
Im Frühjahr und Sommer reichlich
gießen. Während der Blütezeit mit
Tomatendünger düngen. Im Winter
kühl und hell stellen.
(Bild Seite 142)

Register

Die halbfett gesetzten Seitenzahlen verweisen auf Abbildungen.

Aasblume **138, 139,** 153, 154
Acanthocalycium violaceum **8,** 17
Äonium **8,** 17
Aeonium arboreum 'Nigrum' **8,** 17
Agave **9, 10,** 18, 19
Agave filifera **9,** 18
– parviflora **9,** 18
– victoria-reginae **10,** 19
Aloe **10,** 19, 20, 21
Aloe aristata 19
– brevifolia 20
– jacunda **10,** 20
– × 'Sabra' 21
– variegata **11,** 21
Aloinopsis schoonesii 22
Ancistrocactus scheeri **11,** 22
Ancistrokaktus **11,** 22
Aporocactus flagelliformis **12,** 23
– mallisonii **12,** 23
Argyroderma octophyllum 24
Ariocarpus fissuratus var. *lloydi* **13,** 24
– trigonus 25
Astrophytum asterias **13,** 25
– myriostigma **14,** 26
– ornatum **14,** 26

Bergcereus **106,** 127
Binsenkaktus **133,** 150
Bischofsmütze **14,** 26
Bitterbauch **67,** 87
Bitterschopf **10,** 19, 20, 21
Blattkaktus **43, 45, 46,** 62, 63
Borstenkaktus **14,** 27
Borzicactus aureiflora 27
– aureispinus **14,** 27
Brutblatt **72,** 96
Buckelkaktus **97, 98, 99, 100, 101,** 121, 122, 123

Caralluma europaea 28
Carnegiea gigantea 28
Carpobrotus edulis **15,** 29
Cephalocereus senilis **15,** 29
Cereus peruvianus **16,** 30
Ceropegia woodii **16,** 30
Chamaecereus silvestrii 31, **33**
– – gelbe Hybride 31, **33**
Christusdorn **48,** 82
Cleistocactus strausii 32, **34**
Conophytum 32, **34, 35,** 49
Conophytum bilobum 32, **34**
– frutescens **35,** 49
Copiapoa **35,** 49
Copiapoa cinerea **35,** 49
Coryphantha vivipara **36,** 50

Crassula arborescens **36,** 50
– deceptrix **37,** 51
– falcata 51

Delosperma echinatum **37,** 52
Dickblatt **36, 37,** 50, 51
Dolichothele longimamma **37,** 52

Echeveria derenbergii **38,** 53
– 'Doris Taylor' **38,** 53
– gibbiflora var. *caruncu-lata* **39,** 54
– harmsii **39,** 54
– hoveyii 55
– setosa **40,** 55
Echeverie **38, 39, 40,** 53, 54, 55
Echinocactus grusonii **40,** 56
– horizonthalonius **41,** 56
– knippelianus **41,** 57
Echinocereus pentalophus **41,** 57
– perbellus **42,** 58
– salm-dyckianus **42,** 58
– websterianus 59
Echinofossulocactus lamellosus 59
Echinopsis aurea 60
– multiplex **43,** 60
– Paramount-Hybride 'Orange Glory' **44,** 61
– – 'Peach Monarch' **45,** 61
Epiphyllum 'Ackermannii' **43,** 62
– 'Cooperii' **43,** 62
– 'Deutsche Kaiserin' **45,** 63
– 'Gloria' **46,** 63
Espostoa lanata 64
Euphorbia bupleurifolia **46,** 64
– horrida, **46, 47,** 81
– mammillaris var. *variegata* **47,** 81
– milii var. *splendens* **48,** 82
– obesa **65,** 82
– resinifera **48,** 83

Fadentragende Agave **9,** 18
Faucaria tigrina **65,** 83
Feigenkaktus **100, 101, 102, 103, 104, 105, 107,** 124, 125, 126
Fenestraria aurantiaca 84
Fensterblatt 84
Ferocactus acanthodes **66,** 84
– horridus **66,** 85
– latispinus **67,** 85
Ferokaktus **66,** 84, 85
Fetthenne **134, 135, 137,** 151, 152

Flammendes Käthchen **73,** 95
Fliegenblume 28
Frailea 86
Frailea castanea 86
– knippeliana 86

Gasteria batesiana 87
– maculata **67,** 87
Gasterie **67,** 87
Glottiphyllum arrectum 88
– linguiforme **68,** 88
Goldkugelkaktus **40,** 56
Goldopuntie **102, 103,** 124
Greisenhaupt **15,** 29
Greiskraut **137,** 153
Gymnocalycium **68, 69, 70,** 89, 90, 91, 92
Gymnocalycium andreae **68,** 89
– baldianum 89
– bruchii **68,** 90
– denudatum **69,** 90
– horridispinum **69,** 91
– mihanovichii f. *rubra* 'Hibotan' **70,** 91
– quehlianum 92

Haarcereus **140, 141, 142,** 157
Hakenkaktus 92
Hamatocactus setispinus 92
Haworthia attenuata **70,** 93
– margaritifera 93
– maughanii **71,** 94
Haworthie **70, 71,** 93, 94
Huernia aspera 94
– zebrina **71,** 95
Huernie **71,** 94, 95

Igelkaktus **41,** 56
Igel-Säulenkaktus **41, 42,** 57, 58, 59

Kalanchoe **72,** 95, 96
Kalanchoe blossfeldiana **73,** 95
– daigremontiana **72,** 96
– pumila **72,** 96
Kandelaberkaktus 28
Königin der Nacht **136,** 152
Kreuzkraut **137,** 153
Kugelwolfsmilch **65,** 82

Lamellenkaktus 59
Langwarzenkaktus **37,** 52
Laubkaktus **112,** 146
Lebende Steine **74, 75,** 113, 114, 115
Leuchtenbergia principis 113
Leuchterblume **16,** 30
Lithops aucampiae **74,** 113
– bella **74,** 114
– helmutii 114
– marmorata **75,** 115
Lobivia **76, 77,** 115, 116
Lobivia backebergii **76,** 115

– *famatimensis* **77**, 116
– *hertrichiana* 116

Madagaskarpalme **108**, 128
Mammillaria bocasana **76**, 117
– *bombycina* **78**, 117
– *elongata* 118
– *perbella* 118
– *spinosissima* var. *sanguinea* 119
– *zeilmanniana* **79**, 119
Mauerpfeffer **135**, 151

Neoporteria napina 120
– *nidus* 120
– *mammillarioides* **80**, 121
Neoporterie **80**, 120, 121
Notocactus haselbergii **97**, 121
– *herteri* **98, 99,** 122
– *leninghausii* **98**, 122
– *mammulosus* **99**, 123
– *ottonis* **100, 101,** 123

Opuntia basilaris **100**, 124
– *microdasys* **102, 103,** 124
– *pycnantha* **107**, 125
– *robusta* **101**, 125
– *scheeri* **104**, 126
– *spegazzinii* **105**, 126
Oreocereus celsianus **106**, 127
Oroya **106, 107,** 127
Oroya subocculta **106, 107,** 127
Osterkaktus **132, 133,** 149

Pachyphytum **108, 109,** 128

Pachyphytum oviferum **108, 109,** 128
Pachypodium lamerei **108**, 128
Parodia aureispina **110, 111,** 145
– *microsperma* **110, 111,** 145
– *sanguiniflora* 146
Parodie **110, 111,** 145, 146
Peitschenkaktus **12**, 23
Pereskia aculeata **112**, 146
Pleiospilos bolusii **129**, 147
Prismenkaktus 113

Rebutia albiflora **131**, 147
– *calliantha* var. *krainziana* **130, 131,** 148
– *muscula* **131**, 148
– *senilis* **132**, 149
Rebutie **130, 131, 132,** 147, 148, 149
Rhipsalidopsis rosea **132, 133,** 149
Rhipsalis pilocarpa **133**, 150

Säulenkaktus **16**, 30
Schlangencereus **136**, 152
Schlangenkaktus **12**, 23
Schlumbergera bridgesii **134, 135,** 150
Sedum hintonii **135**, 151
– *morganianum* **134**, 151
– *rubrotinctum* **136**, 152
Seeigelkaktus **13**, 25, **43, 44, 45,** 60, 61
Selenicereus grandiflorus **136**, 152
Senecio rowleyanus **137**, 153

Sichelblatt 51
Silberkerze 32, **34**
Spinnenkaktus **69**, 90
Stachelkelch **8**, 17
Stapelia hirsuta **139**, 153
– *revoluta* **138**, 154
– *variegata* **138, 139,** 154
Steinhaufen **129**, 147
Sternkaktus **14**, 26
Stomatium geoffreyii 155
Sulcorebutia totorensis **141**, 155

Teufelsnadelkissen **66**, 84
Teufelszunge **67**, 85
Thelocactus 156
Thelocactus bicolor 156
Tigeraloe **11**, 21
Tigermaul **65**, 83
Titanopsis calcarea 156
Trichocereus chilensis **140, 141,** 157
– *spachianus* **142**, 157

Vogelnestkaktus 120

Warzenkaktus **76, 78, 79,** 117, 118, 119
Watte-Cereus 64
Weihnachtskaktus **134, 135,** 150
Weingartia neocumingii **142, 143,** 158
– *lanata* **143**, 158
Weingartie **142, 143,** 158
Wollfruchtkaktus **13**, 24, 25
Wolfsmilch **46, 47, 48,** 64, **65,** 81, 82, 83

Zungenblatt **68**, 88
Zwergcereus 31, **33**
Zwergkaktus **131**, 147